나는 서울
시내버스
배차주임입니다

발 행 일	2024년 8월 15일
지 은 이	김오현
편 집	권 율
디 자 인	김현순
발 행 인	권경민
발 행 처	한국지식문화원

출판등록	제 2021-000105호 (2021년 05월 25일)
주 소	서울시 서초구 서운로13 중앙로얄빌딩 B126
대표전화	0507-1467-7884
홈페이지	www.kcbooks.org
이 메 일	admin@kcbooks.org
ISBN	979-11-7190-041-1

ⓒ 한국지식문화원 2024
본 책 내용의 전부 또는 일부를 재사용하려면
반드시 저작권자의 동의를 받으셔야 합니다.

SEOUL
METROPOLITAN
GOVERNMENT
INTRA-CITY BUS

나는 서울
시내버스
배차주임입니다

김오현 지음

한국지식문화원
BOOK PUBLISHING

프롤로그

    이 책은 시내버스 배차실에서 근무하면서 경험한 이야기를 담고 있다. 날씨가 나빠서 눈비가 오거나, 너무 덥거나 추워서 버스 운행에 차질이 생기거나 사고가 발생하면, 모든 책임이 나에게 있는 것처럼 마음이 조급해지고 안타까워진다. 반면, 서울이라는 대한민국 수도에서 내 손으로 작성한 배차 시간표에 따라 시내버스가 움직이는 것을 보며 큰 자부심을 느낀다. 이 일에 대한 나만의 생각과 함께하는 동료들이 각자 맡은 업무를 더 안전하게 수행하기를 바라는 마음을 담았다. 서울, 천만 명이 살아가는 이 아름다운 도시의 일원으로 살아가며 활기찬 도시를 가로질러 다양한 풍경을 담아내는 것, 이곳이 바로 시민의 발인 시내버스다. 서울의 시내버스는 단순히 사람들을 목적지까지 운반하는 수단을 넘어서, 도시의 생동감과 흐름을 전달하고 시민들의 일상을 연출하는 무대라고 생각한다.

    서울의 시내버스는 그 도시의 변화와 발전, 그 중심에 있는 사람들의 삶과 문화를 고스란히 담아내고 있다. 그것은 집에서 사무실로, 학교에서 친구들의 집으로, 도서관에서 공원으로 이동하는 수많은 사람의 삶의 흐름을 이어주는 중요한 매개체다. 버스 안에서 만나는 다양한 사람들, 그들의 대화, 그들의 표정, 그리고 그들의 삶은 모두 서울이라는 도시의 이야기를 이루는 조각들이다.

버스를 타고 도시를 누비다 보면, 어느새 그 도시의 풍경이 담긴 풍경화를 그리고 있는 듯한 기분에 빠질 수 있다. 고요한 새벽의 도시, 아침의 분주함, 다정다감의 점심시간, 한숨 돌린 오후의 여유, 그리고 밤의 휴식. 이 모든 것이 버스 창가 너머로 펼쳐지는 서울의 풍경이다.

그런데 이런 버스의 이야기는 대부분의 사람에게 그다지 중요하게 다가오지 않을 수 있다. 그 이유는 우리가 너무나 익숙해져 버렸기 때문일지도 모른다. 하지만 이 책은 그런 당연하게 여겨지는 것들에 대해 다시 한번 생각해 보는 계기를 제공하고자 한다.

이 책을 통해 독자 여러분은 서울이라는 도시를 새롭게 바라보게 될 것이다. 여러분은 시내버스를 타고 도시를 누비며, 그 도시의 풍경과 사람들, 그리고 그들의 삶을 관찰하게 될 것이다. 그 과정에서 여러분은 서울이라는 도시의 진짜 모습을 발견하게 될 것이다.

이제, 도시의 여정을 시작한다. 이 여정은 서울을 새로운 시각으로 바라보는 시간이 될 것이다. 시내버스를 타고 도시를 가로지르며 그 풍경과 사람들, 그들의 이야기를 만나는 시간이 될 것이다. 이 책이 나오기까지 도움을 준 기사들에게 감사함을 전한다. 자 함께 가자.

TABLE OF
CONTENTS

CH 1
도시를 움직이는 시민의 발

버스를 이용하는 사람들

　새벽의 고요를 깨우며 10년도 넘게 탄 애마 그랜저를 몰고 텅 빈 도로 위를 미끄러지듯이 달린다. 새벽 2시에 일어나 몸단장을 한다. 3시 30분까지 사무실에 도착하면 업무 시작이다. 새벽 첫차부터 순차적으로 새벽 도로를 운행할 기사들과 기분 좋은 인사를 나눈다. 그날의 첫 대면은 매우 중요하다. 간밤에 별 이상은 없었는지, 아직도 술기운은 있는지 순간 눈빛만 스쳐도 안다. 기사들의 기분은 안전 운행과 직결되기 때문이다. 그래도 음주 측정은 반드시 거친다. 이 순간은 우리가 하루를 시작하는 작은 의식이자, 수많은 사람의 안전한 여정을 위한 첫걸음이다.

　이른 새벽, 각자의 이유로 버스를 기다리는 사람들. 어둠을 뚫고 나오는 그들의 이야기는 다양하고, 각자의 삶이 담겨 있다. 버스는 그들에게 단순한 이동 수단이 아니라, 삶의 일부분이며, 때로는 작은 피난처가 된다.

도시의 새벽은 아직 잠들지 않은 밤과 새로운 하루가 시작되는 아침 사이의 공간이다. 이 기간은 하루의 변곡점을 의미하며, 이때의 도시는 조용하고 고요하다. 이 시간대에는 많은 사람이 일상의 시작을 알리는 첫 버스를 기다리며 길 위에 서 있다. 이들은 도시의 일상을 이루는 중요한 일원으로, 그들의 존재와 이야기는 도시의 새벽을 이해하는 데 중요한 열쇠가 될 것이다. 이렇게 다양한 배경과 이유로 버스를 이용하는 사람들이 있다.

이들의 이야기는 새벽 버스를 이용하는 사람들의 다양성을 보여준다. 그들은 각자의 이유와 배경으로 새벽에 버스를 이용하며, 그들의 삶은 도시의 새벽을 형성하는 중요한 요소가 된다.

첫 번째 승객은 병원에 일찍 도착하기 위해 첫차를 탄다. 오랜 기간 병을 앓고 있는 가족을 위해, 그는 매일 같은 시간, 같은 자리에 앉는다. 버스 안에서 그는 잠시나마 걱정에서 벗어나, 창밖을 바라보며 조용히 기도를 올린다.

새벽에 일어나 출근하기 위해 버스를 기다리는 사람 중 또 한 명은 식당에서 일하는 사람일 수 있다. 이 사람은 아마도 새벽에 시작되는 식당의 준비 작업을 위해 일찍 출근해야 할 것이다. 그는 아직도 공기가 차지 않은 시간에 버스를 타고 도시를 통과하며, 조용한 도시의 모습을 볼 수 있다. 그의 하루는 대부분의 사람보다 일찍 시작되지만, 그는 이 시간의 조용함과 평온함을 즐길 수 있다.

또 다른 사람은 청소 일을 하는 사람일 수 있다. 그는 아마도 도시의 건물들을 청소하기 위해 새벽에 출근해야 할 것이다. 그는 아직도 대부분의 사람이 잠든 시간에 버스를 타고 도시를 통과하며, 조용한 도시의 모습을 볼 수 있다. 그의 하루는 대부분의 사람보다 일찍 시작되지만, 그는 이 시간의 한적함과 신선함을 즐길 수 있다.

다음 정류장에서 탑승한 승객은 새벽 시장에서 일하는 상인이다. 싱싱한 재료를 구하기 위해, 그는 매일 새벽 버스를 타고 시장으로 향한다. 버스 안의 차가운 공기 속에서도 그의 얼굴에는 하루를 시작하는 설렘과 기대가 가득하다.

트레이닝복을 입은 중년 아저씨는 새벽 운동을 위해 버스를 탄다. 도시가 깨어나기 전, 조용한 공원에서 조깅은 그에게 큰 기쁨이다. 버스 안에서 그는 이어폰을 귀에 꽂고, 운동 플레이리스트에 맞춰 몸을 움직인다.

새벽 버스에 타는 사람들의 이야기를 들어보면, 그들이 겪는 어려움과 도전에 대해서도 알 수 있다. 일찍 일어나야 하는 것, 늦게 퇴근해야 하는 것, 그리고 그 사이의 시간에 이동하며 일하는 것은 쉽지 않은 일이다. 이러한 어려움을 겪으면서도, 그들은 자신의 역할을 충실히 수행하며 도시의 생활을 가능하게 한다. 그들의 노력과 헌신은 도시의 삶을 유지하고, 도시의 발전을 가능하게 하는 중요한 기여다.

새벽에 버스를 이용하는 사람들의 이야기는 도시의 새벽을 이해하는 데 중요한 열쇠가 된다. 이를 통해 우리는 도시의 새벽이 어떻게 형성되는지, 그리고 이것이 어떻게 도시의 일상에 영향을 미치는지 이해할 수 있다. 이러한 이해는 우리가 도시의 문제를 더욱 효과적으로 해결하고, 도시의 발전을 촉진하는 데 필요한 전략을 세우는 데 도움이 될 것이다. 도시의 새벽은 그 자체로 삶의 다양성을 보여주는 공간이며, 이를 통해 도시 생활의 다양성과 복잡성을 이해할 수 있다. 그리고 이러한 이해는 우리가 도시의 문제를 해결하고, 도시의 발전을 촉진하는 데 도움이 될 것이다.

또한, 이들의 삶은 도시의 새벽 시간대에 대한 이해를 넓히는 데도 도움이 된다. 새벽 시간대는 대부분의 사람에게는 잠든 시간이지만, 이들에게는 이미 하루가 시작된 시간이다. 이 시간대의 도시는 조용하고 고요하지만, 그들의 삶과 활동으로 새로운 에너지와 생명력을 얻는다. 이를 통해 우리는 도시의 시간대별 특성과 그에 따른 생활 패턴을 이해하고, 이를 도시 계획과 정책에 반영하는 데 도움이 될 수 있다.

이처럼 버스는 다양한 사람들을 하나의 목적지로 이끈다. 그들 각자의 이야기와 삶의 조각이 버스 안에서 교차하며, 잠시나마 우리는 그들의 삶의 일부가 된다. 시내버스를 배차하는 담당자로서, 나는 이 모든 이야기의 조용한 목격자이다. 그들의 안전을 책임지며, 때로는 위로가 되고 싶다.

버스는 도시의 맥박과 같다. 그 안에서 우리는 서로 다른 삶을 살아가고 있지만, 잠시나마 같은 시간과 공간을 공유한다. 이 도로 위의 작은 여행에서 우리는 서로에게 영향을 미치며, 때로는 서로의 삶에 작은 변화를 가져온다.

이른 새벽부터 시작된 여정은, 각자의 하루를 여는 문이다. 다양한 배경과 이유로 버스를 이용하는 사람들의 이야기는, 우리 사회의 다양성과 복잡성을 담아내며, 인간이라는 존재의 깊이와 너비를 보여준다. 각자의 목적지로 향하는 동안, 우리는 서로 다른 삶의 모습을 엿볼 수 있으며, 이는 우리 자신의 이해와 공감의 폭을 넓히는 기회가 된다.

새벽부터 나누는 짧은 대화들은 때로는 하루의 힘을 주기도 한다. 얼굴을 마주 보고 인사를 나누는 것에서부터, 작은 친절이나 격려의 말들이 오가는 것까지, 이 모든 것들이 우리의 삶에 작은 빛과 같은 역할을 한다. 예를 들어, 하루를 시작하기 위해 버스에 올라타는 승객에게 버스 기사가 건네는 "좋은 아침입니다!", "즐거운 하루 보내세요!"라는 말 한마디는 그 사람에게 기분 좋은 하루의 시작이 될 수 있다.

또한, 버스 여행은 예기치 않은 만남의 장소가 되기도 한다. 오랫동안 보지 못했던 친구를 만나거나, 새로운 인연을 만나는 등, 우리의 일상에 새로운 이야기를 가져다주기도 한다. 이러한 만남은 우리에게 새로운 관점을 제공하고, 삶을 풍요롭게 만든다.

버스 배차담당자로서 나는 이 모든 이야기를 함께한다. 나는 버스 기사들의 무사고를 기원하면서도 승객들의 안전을 위해 그들의 평화로운 삶에 조용한 보탬이 되고자 한다. 나는 그들의 슬픔과 기쁨, 희망과 절망을 함께 나누며, 그들의 여정이 조금이나마 더 편안하고 의미 있는 것이 되도록 노력한다.

이렇게 버스는 단순히 목적지까지 승객을 이동시키는 수단이 아니라, 인생의 소중한 순간들을 함께하는 동반자가 되는 것이다. 다양한 배경과 이유로 버스를 이용하는 사람들의 이야기는 우리 모두에게 소중한 교훈과 영감을 준다. 이 새벽부터 시작된 여정은 우리 각자에게 고유한 의미를 가지며, 삶의 특별한 페이지를 장식한다.

버스 여정을 통해 우리는 사회의 다양한 면모를 이해하고, 서로를 더 깊게 이해할 수 있는 기회를 얻는다. 이 도로 위의 작은 여행은 우리의 일상에 깊은 색채를 더하며, 삶의 진정한 가치를 일깨워준다.

결국, 버스를 이용하는 사람들의 이야기는 도시의 새벽을 이해하고, 이를 통해 도시의 전체적인 생활 패턴과 구조를 이해하는 데 중요한 열쇠가 된다. 그들의 이야기는 버스라는 공공 교통수단을 통해 도시 생활에 대한 새로운 시각을 제공하며, 이는 도시의 문제를 해결하고, 도시의 발전을 촉진하는 데 중요한 통찰을 제공한다. 따라서 우리는 그들의 이야기를 듣고 이해하려는 노력을 계속 해야 한다.

승객의 마음을 읽은 버스는
어떤 버스일까?

도시의 아침은 분주함으로 시작된다. 사람들은 각자의 일과로 향하기 위해 바삐 걸음을 옮기고, 그 중심에 버스는 우리 도시 생활의 필수적인 일부로 자리 잡고 있다. 버스는 우리를 목적지까지 안전하게 이동시키는 중요한 역할을 한다. 그러나 만약 이러한 버스가 단순히 이동 수단으로만 머무는 것이 아니라, 승객의 마음을 읽는 버스로 진화한다면 어떨까?

먼저, 승객의 마음을 읽는 버스란 무엇일까? 이는 승객의 불편함을 미리 인지하고, 그에 따른 서비스를 제공하는 버스를 의미한다. 예를 들어, 버스가 지나치게 빠르거나 느리게 주행함으로써 승객이 불편함을 느낀다면, 버스는 승객의 마음을 읽고 속도를 조절함으로써 승객의 불편을 해소할 수 있다. 또는, 버스가 만석인 상황에서 이를 인지하고, 배차 간격을 탄력적으로 배차함으로써 승객에게 안정감을 줄 수 있다.

이처럼 승객의 마음을 읽는 버스는 승객의 불편을 해소하고, 보다 편리하게 이용할 수 있도록 하는 데 중요한 역할을 한다. 그러나 이를 실현하기 위해서는 승객의 불편함을 정확히 파악하고, 이를 해결할 수 있는 방안을 마련해야 한다.

이를 위해 첫 번째로 고려해야 할 것은 승객의 의견 수집이다. 승객들은 버스를 이용하면서 불편함을 느끼는 다양한 상황을 직접 경험한다. 이러한 승객들의 의견을 적극적으로 수집하고, 이를 분석함으로써 승객의 불편을 정확히 파악할 수 있다.

두 번째로 고려해야 할 것은 승객의 불편을 해결할 수 있는 서비스의 개발이다. 승객의 의견을 바탕으로, 승객의 불편을 해소하고, 보다 편리하게 이용할 수 있는 서비스를 개발해야 한다. 예를 들어, 승객이 버스의 지연에 대한 불편을 제기한다면, 현재 시행 중인 실시간 버스 도착 정보를 제공하는 애플리케이션을 홍보하고 휴대폰에서 한눈에 보게 하는 시스템을 개발하는 것이 필요할 수 있다.

세 번째로 고려해야 할 것은 승객의 불편을 해소하는 서비스의 지속적인 개선이다. 서비스를 개발한 후에도, 승객의 변화하는 요구사항과 불편함을 지속해서 파악하고, 이를 바탕으로 서비스를 개선해야 한다.

이렇게 승객의 마음을 읽는 버스는 승객의 불편을 해소하고, 보다 편리하게 이용할 수 있는 버스를 제공하는 데 중요한 역할을 한다. 이를 통해 우리는 승객의 마음을 읽는 버스를 통해 보다 편리하고 풍요로운 도시 생활을 누릴 수 있을 것이다.

　시내버스 이용에 대한 불편을 해결하는 방법은 다양하게 존재한다. 현재 시행되는 각종 정보만 잘 이용해도 이런 불만은 충분히 해소되리라 생각한다. 몇 가지 구체적인 예를 들어보겠다.

　첫 번째로, 현재 카카오 버스 또는 네이버 버스 등 실시간 버스 도착 정보를 제공하고 있다. 자기 휴대폰에서 다운받아 설치하면, 버스가 언제 도착하는지 정확히 알 수 있도록 실시간 버스 도착 정보를 제공하는 애플리케이션이다. 이런 정보를 활용하면 대기 시간에 대한 불편함을 크게 줄일 수 있다. 이를 통해 승객들은 불필요한 시간 낭비를 줄이고, 더욱 효율적인 이동 계획을 세울 수 있게 된다. 실제로 사무실로 걸려 온 전화 내용 "몇 번 버스 언제와요?" 등을 들어보면 대부분 승객이 모르고 있었다. 당국의 홍보가 필요하다.

　두 번째로, 좌석 예약 시스템이 있는 줄 모른다. 노약자나 임산부 등 특정 승객을 위해 저상 버스의 좌석을 사전에 예약할 수 있는 시스템이 구축되어 있다. 이것은 버스 내에서 좌석을 확보하는데 생기는 불안감을 해소할 수 있다. 이는 특히 성급하게 움직이기 어려운 승객들에게 큰 도움이 될 것이다.

　세 번째로, 버스 내부의 청결 유지를 지속해서 하고 있다. 버스 내부의 청결을 유지하기 위한 노력은 승객들의 편안한 여행을 위해 필수적이다. 이를 위해 매회 수시로 청소와 소독을 실시하고, 쓰레기통을 비우는 등의 청결을 유지하고 있다.

네 번째로, 승차·하차 시의 안전에 대한 고려다. 승객들이 안전하게 승차와 하차를 할 수 있도록 도어 센서가 설치되어 있다. 운전기사가 문을 완전히 여닫는 것을 확인하는 등의 안전 교육을 실시하고 있다. 이는 승객의 안전을 최우선으로 생각하는 것이며, 특히 어린이나 노약자들이 사고 없이 이동할 수 있도록 하고 있다.

마지막으로, 승객의 의견을 적극적으로 수렴하여 반영하고 있다. 승객들의 불편함을 직접 듣고 이를 개선하기 위한 노력이다. 이를 위해 차내에 설문 용지를 비치하거나, 승객의 의견을 제출할 수 있는 플랫폼을 제공하고 있다.

이러한 방법들을 통해 시내버스의 불편을 해결하고, 승객들이 보다 편리하고 안전하게 버스를 이용할 수 있도록 하는 것이 중요하다. 이를 위해 운전기사, 승객, 그리고 버스 운영 당국이 함께 협력하고 노력해야 한다.

이렇게 승객의 마음을 읽는 버스는 단순히 목적지까지의 이동을 넘어서, 승객의 불편함을 사전에 감지하고 해소하는 미래형 교통수단이 될 수 있다. 이는 기술의 진보와 인공지능의 발달이 만들어 낸 새로운 가능성이다. 예를 들어, 버스 내부의 감정 인식 시스템을 통해 승객의 기분 변화를 파악하고, 그에 따른 적절한 조처를 할 수 있다. 만약 승객이 긴장하거나 불안해 보인다면, 버스는 부드러운 음악을 재생하거나 목적지까지 남은 시간을 알려주어 안심시킬 수 있다.

또한, 승객의 마음을 읽는 버스는 이용자의 편의를 극대화하기 위해 개인별 맞춤형 서비스를 제공할 수 있다. 예를 들어, 장애가 있는 승객이 탑승하면, 버스는 자동으로 좌석을 조정하여 휠체어 사용자가 더욱 쉽게 이동할 수 있도록 돕는다. 혹은, 출퇴근 시간에 급히 서류 작업을 해야 하는 승객을 위해, 버스 내에서 Wi-Fi 연결과 테이블을 제공하여 이동 시간도 유용하게 사용할 수 있도록 한다. 현재 일부 시내버스에는 휴대폰을 충전할 수 있는 시스템이 설치되어 운영되고 있다.

이와 같은 혁신은 승객의 불편함을 최소화하고, 버스 이용 경험을 한층 더 향상할 것이다. 하지만 이러한 변화를 실현하기 위해서는 정부와 교통 당국, 그리고 기술 기업들의 적극적인 협력과 투자가 필요하다. 데이터 보호와 개인 정보 보안을 위한 철저한 준비와 함께, 승객들의 다양한 요구를 충족시킬 수 있는 기술 개발에 집중해야 한다.

결국, 승객의 마음을 읽는 버스는 단순한 교통수단을 넘어서, 우리의 삶을 더욱 편리하고 즐겁게 만들어 줄 수 있는 미래의 열쇠가 될 것이다. 이는 우리가 상상하는 것 이상으로, 우리 도시와 교통 시스템에 새로운 변화를 가져올 수 있으며, 더 나은 삶을 위한 발걸음이 될 것이다. "승객의 마음을 읽는 버스가 필요하다."

교통약자를 위한 서비스가 필요하다

　우리가 살아가는 사회는 다양한 사람들로 이루어져 있으며, 그중에는 교통약자들도 포함된다. 교통약자란 노인, 장애인, 임산부 등 이동에 불편함을 겪는 사람들을 말한다. 그들의 일상생활에서 겪는 어려움 가운데 하나가 바로 대중교통을 이용하는 것이다. 이러한 문제를 해결하기 위해 최근 우리 회사는 교통약자를 위한 서비스 차원에서 버스 기사들에게 장애인 리프트 탑승 방법과 유모차를 가지고 탑승하는 방법을 교육하고 있다.

　이러한 노력은 단순히 교통수단의 접근성을 높이는 것을 넘어서 사회적 책임과 공공성을 지키는 데 중요한 의미를 가진다. 노인, 장애인, 임산부 등 교통약자가 이동하는 데 있어서 겪는 불편함은 그들의 삶의 질을 저하하는 주요 요인 중 하나다. 그렇기 때문에 이들이 삶의 질을 높일 수 있도록 도와주는 맞춤형 서비스를 제공하는 것은 매우 중요한 사회적 이슈다.

사실, 교통약자를 위한 서비스는 단순한 배려를 넘어서 그들에게 독립적인 생활을 할 기회를 제공한다. 이는 사회 전체의 통합에 기여하며, 모든 사람이 평등하게 이동할 수 있는 권리를 보장한다. 따라서, 노인과 장애인을 위한 버스 서비스를 어떻게 운영해야 하는지에 대한 고민은 매우 중요하다. 이를 위해 몇 가지 방안을 제시해 본다.

첫 번째로, 저상버스 운행이 전 노선 확대가 필요하다. 저상버스는 바닥의 높이가 낮아 승객이 쉽게 탑승하고 하차할 수 있도록 설계된 버스다. 이는 노인이나 휠체어 이용자 등 이동이 불편한 승객들이 저상버스를 기다리지 않고 편리하게 이용할 수 있게 하기 위한 것이다. 전 노선 저상버스를 운영함으로써 이들의 이동권을 보장하는 한편, 버스 이용에 대한 부담을 줄일 수 있다.

두 번째로, 버스 내에 노인, 장애인, 임산부 등을 위한 특별 우선 좌석을 지정하는 것이 필요하다. 이를 위해 칸막이를 한다든가 명확한 표시를 해두고, 이를 준수할 수 있도록 다른 승객들에게 안내하는 것이 중요하다. 이렇게 함으로써 이들에게 안전하고 편안한 이동 공간을 제공할 수 있다.

세 번째로, 장애인을 위한 편의시설을 설치하는 것이 중요합니다. 예를 들어 휠체어 고정장치, 점자블록, 청각장애인을 위한 LED 안내판 등을 현재보다 더 보강 설치하여 장애인 승객들이 편리하게 이용할 수 있도록 해야 한다. 이는 장애인 승객들이 버스 이용에 있어 불편함을 최소화하고, 버스를 더욱 쉽게 이용할 수 있게 하는 데 도움이 된다.

네 번째로, 버스 운전기사들에게 교통약자에 대한 이해와 서비스 마인드를 강화하는 교육을 제공해야 한다. 이를 통해 운전기사들이 교통약자 승객들에게 더욱 친절하고 세심한 서비스를 제공할 수 있게 하는 것이다.

다섯 번째로, 노인이나 장애인 승객들이 버스 도착 시간을 알 수 있도록 실시간 정보를 제공하는 시스템을 도입해야 한다. 이를 통해 대기 시간을 최소화하고, 불필요한 스트레스를 줄일 수 있다.

마지막으로, 특히 휠체어를 이용하는 승객이나 보행이 힘든 노인 승객들을 위해 버스 정류장까지 도움을 주는 이동 서비스를 제공하는 것도 고려해 볼 만하다.

이렇게 노인과 장애인을 위한 맞춤형 버스 서비스를 제공함으로써, 이들이 사회생활에 더욱 적극적으로 참여하고, 자신의 일상을 더욱 편리하게 관리할 수 있도록 돕는 것이 중요하다. 이는 공공 교통을 이용하는 모든 사람에게 동일한 이동권을 보장하는 것으로, 사회적 편의와 공정성을 실현하는 방향으로 나아가는 것이다.

우리 사회는 누구나 편리하게 이동할 수 있는 교통 환경을 조성하는 데 노력해야 한다. 이는 단순히 교통수단을 운행하는 것을 넘어서, 그 사용자들의 특성과 필요성을 이해하고 이에 맞춘 서비스를 제공하는 것을 의미한다. 특히 노인과 장애인 등의 교통약자들은 이동에 있어서 더 큰 어려움을 겪고 있기 때문에 이들을 위한 맞춤형 서비스가 필요하다.

또한, 이러한 서비스는 단순히 물리적인 이동을 돕는 것을 넘어서, 이들의 사회 참여를 높이고 삶의 질을 향상하는 데도 큰 역할을 한다. 이동이 자유로운 환경이 조성됨으로써 이들은 취미 활동, 친구와의 만남, 문화생활 등 다양한 사회 활동에 참여할 수 있게 되고, 이는 이들의 삶의 만족도를 높이는 데 크게 기여한다.

이를 위해 필요한 것은 버스 회사와 관련 기관, 그리고 우리 모두의 노력이다. 버스 회사는 저상버스 운영, 우선 좌석 지정, 장애인 편의시설 설치 등을 통해 노인과 장애인에게 편리한 서비스를 제공해야 한다. 관련 기관에서는 이러한 노력을 지원하고 감독하는 역할을 해야 하며, 국민들은 이러한 제도를 이해하고 존중하는 자세를 가져야 한다.

결국, 노인과 장애인을 위한 버스 서비스는 이들에게 더 나은 삶의 질을 제공하고, 사회의 포괄성과 공정성을 실현하는 데 중요한 역할을 한다. 이는 우리가 모두 함께 노력해야 할 중요한 과제이며, 이를 통해 우리 사회는 더욱 성숙하고 포괄적인 사회가 될 것이다.

시내버스 과거를 묻지 마세요

그것은 고요히 도심을 가로지르는 시간의 흐름 같다. 시내버스, 그 안은 언제나 사람들로 가득 차 있었고, 각자의 삶과 이야기를 품고 있었다. 버스는 단순히 A 지점에서 B 지점으로 사람들을 옮기는 수단이 아니었다. 그것은 하루하루를 살아가는 우리 모두의 작은 사회였다.

과거의 버스 안은 오늘날과는 사뭇 다른 풍경을 자아냈다. 당시의 버스 안은 담배 연기로 가득 찰 때도 있었으며, 그 연기는 시간의 흐름을 알리는 듯했다. 사람들은 그 당시에도 서로의 삶을 공유했지만, 그 방식은 지금과는 아주 달랐다. 담배 연기가 피어오르는 그 공간에서, 사람들은 더욱 가까워지기도 했다.

과거에는 시내버스 안에서 담배를 피우는 것이 허용되었다는 것은 상당히 충격적일 수 있다. 버스 안이 담배 연기로 가득 차 있던 그 시절, 담배를 피우는 사람들은 담배를 피우면서 여유를 즐기곤 했다. 그들에게는 담배가 일상의 일부였고, 그것을 통해 스트레스를 해소하거나 사회적인 교류를 즐기는 것이었다. 그러나 담배 연기는 비흡연자에게 큰 불편함을 주었고, 특히 담배 연기에 민감한 사람들에게는 건강에도 해로웠다. 이러한 문제를 인식하게 된 후에는 담배를 피우는 것은 버스 안에서 금지되었고, 이는 현재까지 이어져 오고 있다.

버스 안내양은 과거의 시내버스에서 흔히 볼 수 있었던 직업이다. 버스 안내양은 버스의 출발과 도착, 승객의 승하차를 돕고, 요금을 걷는 등의 업무를 담당하였다. 그들은 버스 운전기사와 승객 사이의 소통을 원활하게 하고, 버스 이용에 불편함을 최소화하는 역할을 하였다. 그들의 친절한 미소와 따뜻한 인사는 여정을 떠나는 이들에게 작은 위로와 행복을 선사했다. 그 시절, 사람들은 버스 안내양의 존재를 당연하게 여겼으며, 그들은 여행하는 모든 이들에게 필수적인 존재였다. 그러나 시간이 지나면서 버스의 자동화 시스템이 도입되면서 버스 안내양의 직업은 사라지게 되었다.

이러한 과거 시내버스의 모습은 현재와는 다른 시대적 특징과 생활문화를 반영하고 있다. 그 시절의 사람들은 담배를 피우며 여유를 즐기고, 버스 안내양의 도움을 받으며 버스를 이용하였다. 이러한 모습은 현재와는 다르지만, 그 시절의 사람들의 삶과 문화를 이해하는 데 중요한 단서가 된다. 그리고 이러한 과거의 모습을 통해 우리는 현재의 시내버스가 어떻게 발전해 왔는지를 이해할 수 있다. 이는 과거 시내버스의 비밀스러운 고백이라고 할 수 있다. 그 고백은 과거의 삶과 문화 그리고 그 시대 사람들의 일상을 담고 있다. 시내버스는 그 자체로 하나의 사회를 이루고 있었고, 그 안에서는 각기 다른 사람들이 그들의 삶을 살아가며 독특한 문화를 만들어 냈다. 그 속에서 담배를 피우는 사람들, 버스 안내양, 그리고 그들과 소통하며 이동하는 수많은 승객이 그려내는 풍경은 그 시대 삶의 진솔한 담론이었다.

담배를 피우던 그 시절, 버스 안에선 담배 연기와 함께 사람들의 대화와 웃음소리가 가득했다. 담배를 피우는 것은 단순히 스트레스를 풀거나 시간을 보내는 수단이 아니었다. 그것은 사람들과의 소통의 도구이자, 버스 안의 작은 공동체에서의 사회적 활동이었다. 담배를 피우며 이야기를 나누는 사람들의 모습에서는 그 시절의 사람들의 삶과 문화, 그리고 그들의 일상이 보이게 된다.

버스 안내양이 있던 그 시절, 버스는 단순히 이동 수단이 아니었다. 그것은 사람들이 쉼과 휴식을 취하고, 서로를 알아가는 공간이었다. 버스 안내양은 그 공간에서 중요한 역할을 했다. 그들은 승객들의 안전과 편의를 책임지며, 승객들과의 소통을 통해 버스 안의 화합을 도모했다. 그들의 역할은 버스를 더욱 편안하고 안전한 공간으로 만드는데 기여했다.

이러한 과거 시내버스의 모습은 현재와는 많이 달라졌다. 담배를 피우는 것은 금지되었고, 버스 안내양의 직업은 사라졌다. 버스는 더욱 첨단화되고 편리해졌으며, 그 안의 모습도 달라졌다. 하지만 그 안에서 이루어지는 사람들의 삶과 이야기, 그리고 그들이 만들어내는 문화는 여전히 시내버스를 특별한 공간으로 만들고 있다.

"시내버스의 과거를 묻지 마세요"는 옛날 시내버스와 그 안의 삶에 대한 이야기를 통해 우리에게 그 시절의 삶과 문화를 되짚어 보게 하고, 현재의 시내버스가 어떻게 발전해 왔는지를 보여준다. 그리고 그 과정에서 우리는 시내버스가 단순히 이동 수단이 아니라, 사람들의 삶과 이야기가 교차하는 공간임을 다시 한번 깨닫게 된다. 이는 과거 시내버스의 비밀스러운 고백이자, 현재의 시내버스가 우리에게 전하는 메시지다.

152번 버스를 타고 가로수길을 지나며

서울의 가로수길을 따라 달리는 시내버스에서 시작되는 여행은 언제나 새롭고 흥미로운 경험이다. 창밖으로 펼쳐지는 서울의 거리는 그 다양한 모습을 한눈에 담아주며, 도시의 라이프스타일을 감상할 수 있는 기회를 제공해 준다. 이곳 서울에서는 과거의 전통과 현재의 현대성, 그리고 미래를 향한 기대가 공존하는 독특한 풍경을 만날 수 있다. 이러한 풍경은 서울의 고유한 매력을 담고 있어, 방문자들에게 깊은 인상을 남긴다.

쉬는 날, 집 앞에서 시작하는 작은 모험. 152번 시내버스에 몸을 싣고 서울의 구석구석을 탐험하는 여행은 늘 새롭다. 이 버스 노선은 안양의 삼막사 사거리에서 시작해 수유리의 화계사까지 이어지는, 서울을 가로지르는 장거리 여정이다.

여행의 시작인 순대 골목이 있는 신림역을 지나면, 과거 공군사관학교의 흔적을 간직한 보라매공원이 나온다. 그리고 길거리 사람들을 보고 나면 이어서 노량진수산시장, 서울의 심장부에서 가장 큰 소비지 중 하나를 지나는데, 이곳은 늘 활기가 넘친다. 다음으로 한강의 아름다움을 감상할 수 있는 노들섬을 지나면서, 이 도시의 변화와 성장을 실감한다.

버스는 서울역과 시청을 지나 을지로의 활기찬 거리를 따라 동대문에 도달한다. 이곳에서는 다양한 문화와 역사가 공존하는 모습을 볼 수 있다. 특히 동묘역 풍물시장에서는 많은 사람들이 하차하는데, 이곳은 오래된 물건들과 추억을 찾는 이들로 북적인다. 나 역시 이곳을 자주 찾는 단골이다.

여정은 신설동 오거리를 좌회전하여 성신여대 방향으로 이어진다. 미아리 눈물고개를 지날 때면, 6·25전쟁의 아픔이 떠오른다. 아마도 이곳을 배경으로 한 유행가 가사 때문일 것이다. 버스는 돈암동 주민센터를 지나 화계사 종점으로 향한다. 이 길을 따라 많은 승객이 오고 가는 모습에서, 서울이라는 도시의 다채로운 삶과 이야기를 엿볼 수 있다.

152번 시내버스 여행은 단순한 이동 수단을 넘어, 서울이라는 도시의 다양한 면모와 색채를 경험할 수 있는 소중한 시간이다. 이 버스 창문 너머로 펼쳐지는 서울의 풍경은, 때로는 생각에 잠기게 하고, 때로는 새로운 영감을 주며, 언제나 마음속에 남는다. 이 작은 여행을 통해 서울의 숨겨진 매력을 발견하며, 도시와 더 깊이 소통하는 기회를 가질 수 있다.

* 노들섬 그 환상적인 서울의 풍경

한강의 심장부를 훑고 지나가는 바람이 노래를 부르듯, 한강대교 노들섬 정류장에서 내리자마자 나를 맞이한 것은 시원한 바람과 함께 탁 트인 시야였다. 마치 서울의 거대한 삶이 한눈에 들어오는 것 같았다. 멀리 보이는 63빌딩의 황금빛 외벽은 눈부시게 빛나며, 서쪽으로 시선을 돌리면 LG 타워도 우뚝 서 있는 모습이 보였다. 그 아래로 출렁이는 한강 물 위를 유람선이 여유롭게 떠다니는 모습은 이곳이 서울 한복판임을 잊게 만들었다.

계단을 내려가며 평소 가슴 속에 품었던 북카페 방문의 설렘이 커져만 갔다. 이곳 노들섬에 위치한 북카페는 단순한 카페가 아니었다. 넓은 공간 곳곳에 서점처럼 진열된 책들이 마치 지식의 바다로 나를 인도하는 듯했다. 좋아하는 아이스 라떼를 주문하고는 2층으로 발걸음을 옮겼다. 여기서 바라보는 풍경은 또 다른 서울의 모습을 보여주었다. 창가에 앉아 책을 읽는 사람들의 표정에서는 평온함이 느껴졌고, 시간이 조금 더 느리게 흐르는 듯한 착각에 빠졌다.

노들섬의 매력은 단순히 아름다운 풍경에만 그치지 않았다. 이곳은 서울의 분주함 속에서도 한 걸음 물러나 조용히 자신을 돌아볼 수 있는 공간이었다. 북카페에서 읽은 책 한 구절이 마음속에 오래도록 남을 것 같았다.

노들섬에서의 하루는 마치 도심 속의 작은 휴식처를 발견한 것 같은 기분을 선사했다. 서울이라는 도시의 다채로운 색깔 중 하나를 더 알게 된 것 같아 기쁘다. 노들섬, 그 환상적인 서울의 풍경은 분명 내 기억 속에 오래도록 아름다운 그림으로 남을 것이다.

* 신설동 풍물시장, 아 옛날이여

동묘역 정류장에서 내리면, 별세계로의 문이 열린다. 동대문부터 신설동까지 이어지는 그 길은, 시간을 거슬러 올라가는 여정과도 같다. 옛날 황학동과 성동기계공고 주변에서 활기를 띠던 빈티지 상인들이 도시의 발전과 함께 신설동으로 자리를 옮겼다. 그곳에 도착하면, 서울의 역사가 숨 쉬는 공간에 발을 들여놓게 된다.

이 풍물시장은 세상의 모든 옛 물건들이 한데 모여 있는 곳이다. 아침 일찍부터 시작되는 이 시장에서는, 발품을 팔아가며 구석구석을 탐방하다 보면 예상치 못한 보물을 발견할 수 있다. 필자 역시 친구와 함께 동묘 정류장에서 내려 동묘공원 골목길 난장을 즐겨 찾는다. 이 골목길에는 중고 LP판, 도자기, 고가의 청바지 등, 엔틱한 물건들이 가득하다. 가끔은 8밀리 영화필름을 구매하기도 하며, 이곳저곳 구경하는 재미가 쏠쏠하다.

골목길을 따라 걷다 보면 어느새 동대문 도서관 인근 서울풍물시장 중심상가에 도착한다. 건물 내부는 옛 물건들로 가득 차 있어, 마치 시간 여행을 하는 듯하다. 여기서 나는 1층 전집에 들러 막걸리 한 잔의 여유를 즐긴다. 이 순간만큼은 모든 시간이 멈춘 것만 같고, 서울의 옛 정취를 온전히 느낄 수 있다.

신설동 풍물시장은 단순한 시장이 아니라, 서울의 역사와 문화가 살아 숨 쉬는 공간이다. 여기는 과거와 현재가 공존하는 곳으로, 서울의 숨겨진 매력을 발견할 수 있는 특별한 장소다. 이곳을 방문하는 것은, 서울이 지닌 다채로운 이야기를 듣고, 그 속에서 새로운 영감을 얻는 것과 같다.

이렇게 서울의 시내버스를 이용하면, 도시의 다양한 명소를 편리하게 방문할 수 있다. 가족과 함께, 친구와 함께, 연인과 함께 떠나는 이런 여행은 우리에게 새로운 경험과 추억을 선사한다. 하지만 이런 여행의 진정한 가치는 목적지에 도착하는 것이 아니라, 여행을 하는 동안 만나는 사람들과 경험, 그리고 그 과정에서 느끼는 감동과 즐거움에 있다. 버스 안에서 바라보는 서울의 거리는 우리에게 이런 여행의 가치를 깨닫게 해준다. 창밖으로 보이는 사람들의 얼굴, 건물들 사이로 비치는 하늘, 그리고 거리를 수놓은 가로수들은 모두 이 도시에서의 우리의 삶을 대변한다. 이들은 모두 우리의 일상을 이루는 조각들이며, 이들 사이를 거닐며 우리는 삶의 아름다움을 발견하게 된다.

버스는 이렇게 도시를 여행하는 우리의 친구와도 같다. 그것은 우리를 안전하게 목적지까지 데려다주고, 도중에 펼쳐지는 경치를 함께 즐긴다. 버스 창가에서 바라보는 풍경은 영화의 한 장면처럼 아름답게 펼쳐져 있으며, 이는 도시를 살아가는 우리의 이야기와도 같다. 서울을 여행하는 버스 안에서, 우리는 이 도시의 다양한 모습을 만나게 된다. 고즈넉한 고궁에서부터 현대적인 도심까지, 이 도시는 다양한 얼굴을 가지고 있다. 이 도시의 모든 것이 하나의 큰 이야기를 이루고, 그 안에서 우리는 작은 이야기를 만들어 가게 된다.

이러한 이야기들은 우리의 여행을 더욱 풍성하게 만든다. 이것은 단지 목적지에 도착하는 것이 아니라, 여행의 과정 자체를 즐기는 것이다. 여행이라는 것은 결국 새로운 것을 발견하고, 그것을 통해 자신을 발견하는 과정이며, 이것은 버스를 타고 도시를 여행하면서 느낄 수 있는 가장 큰 즐거움이며 글을 쓰게 하는 원동력이다.

최적의 대중교통비 지원 카드 찾기

　현명한 선택으로 경제적 부담을 줄이자는 차원으로 최적의 대중교통비 지원 카드를 찾아본다. 대중교통비 지원 사업을 비교해서 유리한 카드를 사용하자.

　우리가 살고 있는 요즘 사회는 인플레이션의 파도에 휩싸여 있다. 사과 한 개에 일만 원을 호가하고, 대파 한 단에 9천 원이라니, 이는 단순히 숫자의 문제를 넘어서 우리의 일상생활에 큰 부담을 주는 현실이다. 특히, 대중교통비의 상승은 매일 같이 출퇴근을 위해 대중교통을 이용하는 사람들에게 더욱 가중되는 경제적 부담으로 다가온다.

　이러한 상황에서 금리 조정이 어려운 현시점에서 정부는 재정정책을 통해 경기 활성화의 새로운 돌파구를 모색했다. 그 중심에 있는 것이 바로 대중교통비 지원 사업이다. 서울을 비롯한 수도권 도시들에서 활발히 시행 중인 이 지원 사업들은 국민의 세금을 통해 대중교통비를 보조함으로써, 국민의 부담을 줄이고 경제에 활력을 불어넣고자 하는 의도에서 출발했다.

그렇다면, 이러한 시대의 요구에 부응하여 우리는 어떻게 대응해야할까? 바로, 현재 시행 중인 대중교통비 지원 사업들을 면밀히 비교하고, 자신에게 가장 유리한 카드를 선택하는 것이다. K-패스 카드와 기후동행카드, 이 두 가지 주요 지원 사업을 살펴보자.

* K-패스카드

서울을 포함한 전국에서 사용할 수 있으며, 특히 서울 시내버스와지하철 이용 시 할인 혜택을 제공한다. 이 카드는 서울에서 일상적인 출퇴근을 하는 사람들에게 큰 이점을 준다.

이동 거리와 관계없이 대중교통 이용 금액의 일정 비율이 적립금으로 지급되는 사업으로 일반인 20%, 청년(19세~34세) 30%, 저소득층 53.3%까지 적립금으로 지급된다. 월 15회 이상 정기적으로 대중교통(시내버스, 마을버스, 지하철, 광역버스, GTX 대상) 이용 시 적립금이 지급된다. 또 월 최대 60회까지 지출 금액의 일정 비율을 다음 달에 환급해 주는 교통카드다.

또한, 각 카드사를 통한 추가 할인이나 환급을 받을 수 있어 대중교통을 이용하는 사람에게는 꼭 필요한 카드다.

국민, 농협, BC카드, 삼성, 신한, 우리, 하나, 현대 등이 파트너사로 참여하며 해당 카드사에서 발급 메뉴를 제공한다.

* 기후동행카드

대중교통 이용을 통해 환경 보호에 기여하고자 하는 의도로 만들어진 카드다. 이 카드는 대중교통 이용 시 할인 혜택을 제공할 뿐만 아니라, 사용자의 대중교통 이용 습관을 통해 기후 변화 대응에도 기여한다. 이 카드는 모바일 카드에 신용·체크카드 충전 기능을 도입한 정기권이다. 서울 시내버스, 지하철이 주 사용처로, 최근 김포골드라인 사용이 가능하며, 서울 외에 대중교통은 사용이 불가하다.

월 62,000원에서 따릉이까지 이용하면 65,000원권을 내고 무제한으로 이용할 수 있다. 청년의 경우는 따릉이까지 58,000원에 이용할 수 있다. 현재 요금 상으로는 대략 대중교통을 41회 이상 이용하면 혜택을 누릴 수 있다.

따라서 서울에서만 대중교통을 이용하는 사람이라면 기후동행카드 혜택이 크다. 반면 경기·인천 등 서울 이외 지역으로 이동하는 사람이라면 K-패스 계열의 혜택이 더 클 수 있다. 또 광역버스나 GTX를 이용하는 경우에도 K-패스 카드가 적절할 수 있다.

기타 K-패스를 기반으로 한 경기도의 '더 경기 패스', 인천시의 '인천 I-패스'도 서비스를 개시한다. 경기 패스와 I-패스는 K-패스 혜택을 바탕으로 지역민에게 추가적인 혜택을 제공한다.

카드마다 특성과 제공하는 혜택이 다르기 때문에 자신의 생활 패턴, 주로 이용하는 대중교통 수단, 그리고 거주 지역을 꼼꼼하게 고려하여 선택하는 것이 중요하다. 예를 들어, 매일 서울과 경기도를 오가며 출퇴근하는 경우 K-패스와 The 경기패스 중 어느 것이 더 많은 혜택을 제공하는지 비교해 보는 것이 유리할 것이다. 만약 인천에서 많은 시간을 보낸다면 인천 I-패스의 혜택이 더 매력적일 수 있다. 또한, 환경 보호에 관심이 많고 대중교통 이용을 통해 환경에 기여하고자 하는 사람이라면 기후동행카드가 좋은 선택이 될 수 있다.

이러한 선택 과정에서는 각 카드의 할인율, 추가 혜택, 사용할 수 있는 교통수단의 범위 등을 면밀히 검토해야 한다. 또한, 일부 카드는 신청 조건이나 사용 조건에 특정 요구사항이 있을 수 있으므로, 이러한 조건들을 잘 확인하고 자신에게 가장 적합한 카드를 선택하는 것이 중요하다.

대중교통비 지원 사업은 국민의 교통비 부담을 줄이고, 경제적 부담을 경감시키는 데 큰 역할을 한다. 이러한 정부의 노력에 발맞추어 우리도 주어진 혜택을 최대한 활용하여 경제적으로 더 여유로운 일상을 영위할 수 있다. 따라서, 각자의 생활 패턴과 필요에 맞추어 현명하게 대중교통비 지원 카드를 선택하고 활용함으로써, 인플레이션의 시대에도 조금 더 편안한 일상을 누릴 수 있을 것이다.

결국, 우리의 선택은 단순히 교통비 절약에만 그치지 않는다. 이는 지속 가능한 환경, 건강한 경제 생태계를 위한 소중한 한 걸음이 될 수 있다. 정부의 지원 사업을 통해 제공되는 이 혜택들을 현명하게 활용하는 것은 우리 각자가 할 수 있는 가장 실용적이고 현명한 선택 중 하나임을 잊지 말아야 한다.

기후동행카드' 통행세, 도시 관람의 입장료

도시의 발걸음은 끊임없이 움직이고, 그 속에서 우리는 자신만의 길을 찾아 나선다. 이러한 움직임은 도시라는 거대한 무대 위에서 펼쳐지는 수많은 드라마 중 하나일 뿐이다. 최근, 이 도시 무대를 이용하는 데 있어 새로운 변화가 생겼다. 바로 '기후동행카드'의 도입이다. 이 카드는 단순히 버스 이용 요금을 지불하는 수단을 넘어, 우리가 도시 공간을 이용하고 그 안에서 활동하는 것에 대한 '입장료'라는 새로운 개념을 제시한다.

버스 이용 요금은 오랜 시간 동안 우리가 도시를 이동하는 데 필요한 기본적인 비용으로 여겨졌다. 이는 버스를 운영하는 회사의 운영 비용을 충당하고, 버스 운전기사의 노동을 보상하는 중요한 수단이다. 하지만 이러한 비용은 때때로 우리에게 부담으로 다가온다. 특히 경제적으로 어려운 시기에는 더욱 그렇다. 그런데도 우리는 도시를 이용하고 그 안에서 필요한 활동을 이어가기 위해 이 비용을 부담할 수밖에 없다. 이처럼 버스 요금은 우리가 도시의 공간을 이용하는 데 있어 필수적인 '입장료'가 된다.

이제 '기후동행카드'가 이러한 상황에 새로운 해법을 제시한다. 이 카드는 단순한 교통수단의 이용료 지불 수단을 넘어, 우리가 도시를 이용하고 그 안에서 활동하는 것에 대한 책임을 고려한 선택을 가능하게 한다. 이는 우리가 도시를 이용하는 데 있어 환경적 책임을 고려하고, 지속 가능한 도시 생활을 위한 의식적인 선택을 하도록 유도한다. '기후동행카드'를 사용함으로써 우리는 단순히 이동 수단의 비용을 지불하는 것을 넘어, 환경 보호에 기여하고, 지속 가능한 도시 생활을 지향하는 중요한 한 걸음을 내디딘다.

도시의 입장료로 여겨질 수 있는 버스 요금이 우리에게 부담이 될 수 있지만, '기후동행카드'를 통해 그 부담을 넘어서는 새로운 가치를 창출할 수 있다. 이 카드는 우리가 도시를 이용하고 그 안에서 활동하는 것에 대한 새로운 시각을 제공한다. 우리가 도시의 공간을 이용하며 다양한 활동을 하는 것은 단순히 개인적인 이동의 문제가 아니라, 공동체의 일원으로서 책임과 의무를 함께 고려해야 하는 중요한 선택이다.

'기후동행카드'의 도입은 우리에게 도시의 입장료를 넘어서는 더 큰 의미를 부여한다. 이는 우리가 도시의 공간을 이용하는 방식에 대해 다시 생각하고, 우리의 일상에서 지속 가능성을 향한 작은 변화를 만들어갈 수 있는 기회를 제공한다. 여러 이유 중 하나는 이곳저곳으로 이동해도 이용료에 대한 부담을 덜어 주기 때문이다.

환경 문제는 이제 우리 생활의 많은 부분에서 중요한 고려 사항이 되었다. 기후 변화의 심각성이 점점 더 명확해지는 가운데, 각 개인과 공동체가 할 수 있는 일에 대한 인식이 높아지고 있다. '기후동행카드'

는 이러한 인식의 표현이며, 우리가 모두 도시를 사용하고 즐기는 방식에 대해 책임질 수 있도록 돕는다. 이 카드를 사용하는 것은 단순한 결제 수단이 아니라, 지구를 생각하고 미래 세대를 위한 보다 나은 세상을 만들기 위한 의지의 표현이다.

'기후동행카드'는 또한 우리의 이동 방식에 대한 근본적인 재고를 유도한다. 대중교통을 사용하는 것은 자동차 사용을 줄임으로써 탄소 발자국을 감소시키는 효과적인 방법의 하나이다. 이 카드를 통해 더 많은 사람이 대중교통 이용의 중요성을 인식하고, 이를 적극적으로 선택함으로써 우리 도시의 대기질 개선과 기후 변화 완화에 기여할 수 있다.

이와 같은 변화는 개인의 차원을 넘어 도시 전체의 지속 가능한 발전으로 이어질 수 있다. '기후동행카드'는 단지 교통수단의 이용료를 지불하는 수단이 아니라, 우리가 어떻게 도시를 이용하고, 그 안에서 어떻게 활동할 것인가에 대한 질문을 던진다. 이는 우리가 모두 공동으로 참여하고 책임을 지는 지속 가능한 도시 생활로 나아가는 첫걸음이 될 수 있다.

결국, '기후동행카드'는 단순한 교통카드를 넘어서, 우리가 도시를 어떻게 이용하고 그 안에서 어떤 활동을 하는지에 대한 근본적인 질문을 던지는 중요한 도구이다. 이를 통해 우리는 지속 가능한 도시 생활을 향한 의미 있는 변화를 만들어갈 수 있으며, 이는 결국 우리 모두의 삶의 질을 향상하는 방향으로 이어질 것이다. '기후동행카드'의 도입은 단지 시작에 불과하다. 우리가 어떻게 이 기회를 활용하느냐에 따라, 우리 도시의 미래가 달라질 것이다.

스마트폰 앱과 연동된 버스 서비스

"고터 앞인데 4318 버스 언제와요?" 하루에도 몇 번씩 이런 전화를 받는다.

우리가 살아가는 현대 사회에서 스마트폰은 더 이상 단순한 통신 도구가 아닌, 일상생활의 필수품으로 자리 잡았다. 스마트폰의 등장과 함께 우리의 생활 방식은 극적으로 변화하였으며, 이 중에서도 정보 접근성의 향상은 두드러진 변화 중 하나로 꼽힌다. 전 세계의 방대한 정보가 손안에 들어오면서, 우리는 언제 어디서나 필요한 정보를 쉽게 찾을 수 있게 되었다. 이러한 변화는 대중교통을 이용하는 방식에도 큰 영향을 미쳤으며, 특히 버스 서비스와 스마트폰 앱의 연동은 이용자들에게 새로운 편의성을 제공한다. (구글 '플레이 스토어'에서 '카카오버스' 또는 '네이버버스'를 검색하여 바로 설치할 수 있다.)

현장에서 근무하며 매일 일어나는 것은 아직도 많은 사람이 버스 앱의 존재나 활용에 대해 잘 모르는 것 같다. 사무실로 걸려 오는 전화 중에는 "고속버스터미널 앞인데, 4318 버스 언제 와요?" 또는 "사당역에서 건대까지 가는 데 얼마나 걸리나요?"와 같은 질문이 상당수를 차지한다. 이러한 질문들은 스마트폰에 버스 앱을 설치하기만 하면, 사용자 스스로 쉽게 해결할 수 있는 문제들이다.

스마트폰 앱과 연동된 버스 서비스는 실시간으로 버스의 위치를 확인할 수 있게 해주어, 이용자가 버스 도착 시간을 정확히 알 수 있게 한다. 또한, 특정 목적지까지의 예상 소요 시간, 버스 내 혼잡도, 갈아타야 하는 노선 정보 등을 제공하여, 이용자가 보다 편리하고 효율적으로 대중교통을 이용할 수 있도록 돕는다. 이는 불필요한 대기 시간을 줄이고, 여행 계획을 보다 정확하게 세울 수 있게 해주어, 일상생활의 질을 향상한다.

그러나 이러한 혜택에도 불구하고, 버스 앱의 존재나 활용 방법을 모르는 사람들이 여전히 많다는 사실은 우리 사회에서의 정보 격차 문제를 드러낸다. 디지털 환경에서의 정보 접근성은 많은 사람에게 새로운 기회의 문을 열어주지만, 동시에 정보에 쉽게 접근할 수 없는 사람들은 뒤처질 위험이 있다. 이에 따라, 정보의 접근성을 높이는 기술의 발전만큼이나, 이를 활용할 수 있는 능력을 함양하는 교육의 중요성도 증가하고 있다.

스마트폰 앱과 연동된 버스 서비스의 보편화는 단순히 기술의 발전을 넘어서, 사회의 주제가 되었다. 이는 우리 사회가 디지털 리터러시, 즉 디지털 정보를 이해하고 활용할 수 있는 능력에 대해 보다 깊이 고민하고, 이를 증진하기 위해 노력해야 함을 시사한다.

이러한 맥락에서, 스마트폰 앱과 연동된 버스 서비스의 활성화는 단순한 기술 진보의 문제를 넘어, 사회적 포용성을 높이는 계기가 될 수 있다. 공공 서비스의 접근성을 개선함으로써 모든 구성원이 정보 사회의 혜택을 공평하게 누릴 수 있도록 하는 것이다. 이를 위해, 정부와 관련 기관은 더 많은 사람이 이러한 앱을 쉽게 사용할 수 있도록 지원하는 한편, 디지털 리터러시 교육을 확대해야 할 필요가 있다. 또한, 앱 개발자들은 사용자 친화적인 인터페이스와 직관적인 사용 방법을 고려하여, 다양한 연령대와 기술 수준을 가진 사용자들이 쉽게 접근할 수 있도록 앱을 개선해야 한다.

버스 서비스와 같은 공공 서비스의 스마트폰 앱 연동은 사용자들에게 실질적인 편의를 제공할 뿐만 아니라, 사회적으로도 긍정적인 영향을 미친다. 예를 들어, 실시간 버스 도착 정보를 제공함으로써 대중교통 이용을 촉진하고, 이는 궁극적으로 교통 체증 감소와 대기 오염 저감과 같은 환경적 이점으로 이어질 수 있다. 또한, 교통 정보의 접근성을 높임으로써 노약자나 장애인과 같은 교통약자들의 이동 편의성을 개선하는 데 기여할 수 있다.

과거에는 버스를 기다리는 것은 시간을 낭비하는 것으로 보였지만, 이제는 스마트폰 앱을 통해 버스 도착 시간을 정확히 알 수 있게 되었다. 이처럼 스마트폰 앱이 버스 이용에 미치는 영향에 대해 좀 더 자세히 알아보자.

스마트폰 앱을 통한 버스 서비스는 주로 두 가지로 나뉘어 제공된다. 하나는 버스 도착 정보 제공 서비스, 다른 하나는 모바일 버스 티켓 서비스다. 버스 도착 정보 제공 서비스는 실시간으로 버스의 위치와 예상 도착 시간을 알려주는 기능을 제공한다. 이러한 서비스를 이용함으로써 승객들은 불필요한 대기 시간을 줄이고, 더욱 효율적으로 이동할 수 있게 되었다.

이러한 서비스는 GPS와 버스 위치 정보 데이터베이스를 활용하여 제공된다. 즉, 버스는 GPS를 통해 실시간으로 위치 정보를 데이터베이스에 전송하고, 이 정보는 스마트폰 앱을 통해 사용자에게 제공된다. 이를 통해 승객들은 실시간으로 버스의 위치와 도착 시간을 파악할 수 있다. 이처럼 기술의 발전이 버스 이용에 큰 편의를 제공하며, 대중교통 이용률을 높이는 데 큰 도움을 주고 있다.

또 다른 스마트폰 앱을 통한 버스 서비스인 모바일 버스 티켓 서비스는 스마트폰을 이용해 버스 요금을 지불하는 기능을 제공한다. 이 서비스를 이용하면 승객들은 물리적인 지폐나 카드를 사용하지 않고도 버스 요금을 결제할 수 있다. 이는 더욱 빠르고 편리한 이용을 가능하게 하며, 또한 환경 보호에도 기여하게 된다.

이처럼 스마트폰 앱을 통한 버스 서비스는 대중교통 이용에 큰 변화를 가져왔다. 기술의 발전이 우리의 일상생활에 어떻게 영향을 미치는지를 잘 보여주는 사례 중 하나다. 기술의 발전은 우리의 생활을 편리하게 만들며, 더 나은 세상을 만들어 가는 중요한 역할을 하고 있다.

스마트폰 앱을 통한 버스 서비스의 발전은 그치지 않고 계속되고 있다. 이제 우리는 단순히 버스의 도착 시간을 알려주는 것을 넘어서, 좀 더 많은 정보와 서비스를 제공하는 앱들을 볼 수 있다. 예를 들어, 버스의 혼잡도를 알려주는 앱, 버스 정류장 주변의 관광 명소나 맛집 정보를 제공하는 앱, 버스 이용에 대한 포인트를 적립해 다양한 혜택을 받을 수 있는 앱 등 다양한 서비스를 제공하는 앱들이 출시되고 있다. 이런 앱들은 버스 이용을 단순한 이동 수단에서 벗어나, 생활의 일부로 만들어 주며, 이용자들에게 새로운 경험을 제공한다.

또한, 스마트폰 앱을 통한 버스 서비스는 이용자의 편의를 위해 계속해서 기능을 추가하고 있다. 예를 들어, 버스 이용자가 자신의 목적지를 입력하면, 가장 효율적인 버스 노선을 추천해 주는 기능, 버스가 지연되거나 운행이 취소될 경우 이를 실시간으로 알려주는 기능 등 다양한 신기능들이 추가되고 있다. 이런 기능들은 이용자들이 버스를 더욱 편리하게 이용할 수 있게 돕고 있다.

이처럼, 스마트폰 앱을 통한 버스 서비스는 우리의 생활에 큰 변화를 가져왔다. 이는 기술의 발전이 우리의 일상생활에 어떻게 영향을 미치는지를 잘 보여주는 사례이다. 스마트폰 앱을 통한 버스 서비스는 이용자 중심의 편의성을 제공하며, 이용자의 만족도를 높이는 데 큰 역할을 하고 있다.

앞으로도 스마트폰 앱을 통한 버스 서비스는 계속 발전하여 더욱 다양한 서비스를 제공할 것이다. 향후에는 AI 기술을 활용한 개인 맞춤형 서비스, 빅데이터를 활용한 더욱 정확한 도착 시간 예측, IoT 기술을 활용한 승차 및 하차 알림 등 더욱 진화된 서비스를 기대해 볼 수 있다. 이처럼, 기술의 발전을 통해 우리의 삶은 더욱 풍요로워질 것이다.

종합하자면, 스마트폰 앱과 연동된 버스 서비스는 단순한 편의 기능을 넘어서, 사회적 포용성을 증진하고 환경 보호에 기여하는 등 다양한 긍정적 영향을 미친다. 이러한 서비스의 확대와 발전은 우리 사회가 더욱 공평하고 지속 가능한 미래로 나아가는 데 중요한 역할을 할 것이다. 따라서, 모든 이해관계자는 이러한 서비스가 보다 많은 사람들에게 도움이 될 수 있도록 적극적으로 노력해야 할 것이다.

버스에서 물건을 잃어버렸어요

　버스 안, 그 안정적이고 익숙한 환경 속에서 우리는 때때로 가장 소중한 것을 잃어버린다. 그것은 단순히 물리적인 물건의 상실이 아니라, 그 순간 우리가 느끼는 안도감과 일상의 편안함을 잃어버리는 것이다. 이 글은 바로 그 순간, 우리가 어떻게 대처해야 하는지에 대한 이야기이다.

　일상의 분주함 속에서 버스는 우리를 집에서 사무실로, 학교에서 쇼핑몰로 안전하게 이동시켜주는 신뢰할 수 있는 교통수단이다. 하지만, 이동의 편리함 속에서 우리는 때때로 가장 중요한 것들을 잊고 내린다. 휴대폰, 가방, 우산, 지갑… 이러한 물건들은 우리의 일상과 밀접하게 연결되어 있어, 그것을 잃어버리는 순간 우리의 일상 또한 흔들리기 시작한다.

　버스에서 물건을 잃어버렸을 때, 그 첫 번째 순간은 패닉에 가깝다. 가방 속을 뒤지거나, 자리를 바꾸어 앉았던 기억을 되살리며, 그 물건을 찾기 위한 필사적인 노력이 시작된다. 하지만, 그것이 더 이상 우리 손안에 있지 않다는 현실을 인정하는 순간, 우리는 다음 단계로 넘어간다. 분실물을 찾기 위한 실질적인 조치.

분실물을 찾기 위한 첫걸음은 대부분 버스 회사나 관련 기관에 연락하는 것이다. 하루에도 몇 번씩 잃어버린 물건을 찾기 위해 전화하는 사람들… 이러한 전화는 그 자체로 일상의 일부가 되어버렸다. 실제로, 버스 회사의 사무실 한켠에는 승객들이 잃어버린 물건들이 수북하게 쌓여 있다. 이 중 일부는 소중한 주인을 다시 만나지만, 대부분은 그렇지 못하다.

이러한 현실 속에서, 우리는 분실물을 잃어버렸을 때 어떻게 대처해야 하는지에 대한 교훈을 얻는다. 무엇보다 중요한 것은, 우리의 물건들을 더욱 소중히 여기고, 일상의 소중함을 인식하는 것이다. 또한, 분실물을 찾기 위한 적절한 조치를 알고 있어야 한다. 이것이 바로 다음 2편에서 다루고자 하는 주제다.

분실물을 찾기 위한 첫 단계는 즉각적인 행동이다. 버스에서 내리자마자 무언가를 잊어버렸다는 것을 깨달았다면, 가능한 한 빨리 해당 버스 회사에 연락하는 것이 중요하다. 대부분의 버스 회사는 분실물에 대한 문의를 받고, 이를 처리하기 위한 절차를 갖추고 있다. 이때, 분실물에 대한 자세한 정보(버스 번호, 탑승 시간, 내린 정류장 등)를 제공할수록 물건을 찾을 확률이 높아진다.

두 번째 단계는 인내심을 가지고 기다리는 것이다. 분실물이 사무실로 도착하는 데는 시간이 걸릴 수 있으며, 이 과정에서 끊임없이 상황을 확인하는 것도 도움이 된다. 이때, 사회적 네트워크 서비스(SNS)나

지역 커뮤니티를 활용하는 것도 좋은 방법이 될 수 있다. 많은 경우, 타인의 도움으로 물건을 되찾는 사례가 있기 때문이다.

세 번째는, 물건을 되찾았다면 해당 과정에서 도움을 준 이들에게 감사의 마음을 표현하는 것이다. 이는 우리 사회가 얼마나 따뜻하고, 연결되어 있는지를 보여주는 좋은 예가 될 수 있다.

이 과정을 통해 우리는 몇 가지 중요한 교훈을 얻게 된다. 첫째, 우리의 소중한 물건에 대해 더욱 주의를 기울여야 한다는 것. 둘째, 어려운 상황에서도 침착함을 유지하고, 적절한 조치를 취하는 것이 중요하다는 것. 셋째, 우리 주변의 사람들과의 연결고리가 얼마나 소중한지를 다시 한번 깨닫게 된다.

버스에서 물건을 잃어버리는 경험은 단순히 물건을 잃어버린 것 이상의 의미를 가진다. 이는 우리에게 인내심, 감사의 마음, 그리고 우리의 일상을 더욱 소중히 여기는 법을 가르쳐준다. 분실과 발견의 이야기는 우리의 일상에서 소중한 교훈을 제공하며, 이를 통해 우리는 더욱 성장하고 발전할 수 있다.

만약 주인이 찾아가지 않는다면, 분실물은 일정 기간 후에 관할 경찰서로 이송되거나 폐기 처분된다. 따라서 분실물을 잃어버렸다면 가능한 빠른 시일 내에 버스회사에 연락하는 것이 중요하다. 빠르게 대처할수록 분실물을 찾는 확률이 높아진다.

분실물을 잃어버리는 일은 누구에게나 일어날 수 있는 일이다. 그래서 우리는 이러한 상황에 대비해야 한다. 물건을 잃어버렸을 때 패닉에 빠지지 않고, 즉시 버스회사에 연락하여 분실물을 신고하고, 필요한 정보를 제공하는 등의 적절한 대응을 해야 한다.

또한, 이런 상황을 방지하기 위해 스스로의 물건을 잘 관리하는 것도 중요하다. 버스에서 내릴 때는 반드시 자신의 주변을 다시 한번 확인하고, 소지품을 잘 챙기는 습관을 들이는 것이 좋다. 특히, 귀중품이나 중요한 서류 등은 본인이 직접 가지고 다니는 것이 가장 좋다. 또한, 휴대폰이나 지갑 등 자주 사용하는 물건은 특정 위치에 두고 이를 체크하는 습관을 들이는 것도 방법이다. 이렇게 하면 물건을 잃어버릴 확률을 크게 줄일 수 있다.

물론, 모든 것이 완벽하게 진행되지 않을 수도 있다. 분실물을 찾지 못하는 경우도 있을 수 있다. 그러나 이런 경우에도 절망하지 말아야 한다. 분실물을 잃어버린 것은 불행한 일이지만, 그것을 통해 중요한 교훈을 얻을 수도 있다. 그 교훈은 바로 스스로의 소중한 물건을 더욱 소중히 다루고 관리해야 한다는 것이다.

결국, 버스에서의 분실물 문제는 우리 스스로의 주의력과 책임감, 그리고 버스회사의 체계적인 분실물 관리 체계가 결합되어 해결될 수 있다. 이를 통해 우리는 안전하고 편리한 버스 이용을 누릴 수 있을 것이다. 그리고 이러한 경험은 우리에게 더욱 세심하게 물건을 다루고 책임감을 가질 수 있는 기회를 제공하게 된다.

만약, 분실물을 찾지 못하였을 경우에는 이렇게 해보자. 분실물을 찾지 못한 경우에는 다음과 같은 대응 방안을 생각해볼 수 있다.

재확인: 먼저, 버스회사에 다시 한번 연락하여 분실물이 정말로 없는지 확인해 본다. 때로는 시간이 조금 더 필요한 경우도 있으므로, 일정 시간이 지난 후에 재확인하는 것도 좋다.

경찰서 신고: 분실물이 중요한 물건인 경우, 혹은 분실물에 대한 정보가 필요한 경우에는 가까운 경찰서에 분실 신고를 할 수 있다. 경찰서에 신고하면, 만약 누군가 그 물건을 찾아서 경찰에 제출하였다면 찾을 가능성이 있다.

소셜 미디어 활용: 자신이 분실물을 잃어버렸다는 사실을 소셜 미디어에 공유하면, 누군가가 그 물건을 찾았을 가능성도 있다. 물론, 이 방법은 개인정보를 보호하는 것이 중요하므로, 자신의 개인정보는 공개하지 않도록 주의해야 한다.

재구매 또는 대체: 결국 분실물을 찾지 못한다면, 새로운 물건을 구매하거나 대체하는 것을 고려해야 할 수도 있다.

분실물을 잃어버린 것은 언제나 불편하고 스트레스를 주는 일이다. 하지만 이러한 상황을 체적으로 대처하면서, 앞으로의 분실을 예방하는 좋은 습관을 기를 수 있다. 그리고 이런 경험은 결국 우리에게 더욱 세심하게 물건을 다루고 책임감을 가지는 기회를 제공한다.

시내버스 분실물 가장 빠르게 찾는 방법

　우리의 일상은 끊임없이 움직이는 시간의 흐름 속에서 펼쳐진다. 아침의 첫 새벽녘부터 밤의 깊은 어둠이 내리기까지, 우리는 각자의 삶을 살아가며 무수히 많은 사물과 순간들을 마주한다. 이러한 바쁜 일상에서 우리는 때때로 소중한 것들을 잃어버린다. 시내버스 안에서의 분실물도 그중 하나다. 우산, 지갑, 신용카드, 책가방, 심지어는 음식물이나 파 두부 고기까지, 생각지도 못한 다양한 물건들이 시내버스 안에서 주인을 잃고 남겨진다.

　바쁜 도시의 풍경 속에서, 이러한 분실물을 가장 빠르게 찾는 방법은 무엇일까? 이 질문에 대한 답은 우리의 일상 속 깊은 주의와 배려에서 시작된다.

　첫째, 분실물을 잃어버리지 않기 위한 사전 예방이 가장 중요하다. 하지만 이미 늦었다면, 그다음 단계는 즉각적인 행동이다. 버스에서 내린 순간 무언가를 잃어버렸다는 것을 깨달았다면, 가능한 한 빨리 해당 버스 회사의 분실물 담당 부서에 연락하는 것이 중요하다. 이때, 버스 번호, 탑승 시간, 내린 정류장 등 구체적인 정보를 제공할 수 있다면 분실물을 찾는 과정이 훨씬 수월해진다.

둘째, 현대 기술의 도움을 받는 것도 한 방법이다. 많은 버스 회사가 실시간 위치 추적 시스템과 같은 기술을 도입하고 있기 때문에, 분실물을 신속하게 찾는 데 도움이 될 수 있다. 또한, 일부 지역에서는 버스 내부에 설치된 CCTV를 통해 분실물의 위치를 더욱 정확하게 파악할 수도 있다.

셋째, 소셜 미디어와 온라인 커뮤니티의 힘을 빌리는 것이다. 분실물을 찾는 글을 올리면, 놀라운 일이 일어날 때가 많다. 때로는 시민들의 도움으로 분실물을 빠르게 찾을 수 있기도 하다. 이러한 방법은 특히 개인적인 가치가 큰 물건을 잃어버렸을 때 유용하다.

넷째, 항상 희망을 잃지 않는 것이다. 분실물을 찾는 과정은 때로는 길고 힘들 수 있다. 하지만 많은 사람이 자신의 물건을 다시 찾았다는 이야기를 들려주곤 한다. 우리의 일상이 아무리 바쁘더라도, 서로를 돕는 따뜻한 마음과 세심한 배려가 여전히 존재한다는 것을 잊지 말아야 한다.

우리가 매일 타고 내리는 시내버스는 우리 삶의 일부분이 되었다. 그 안에서 우리는 종종 소중한 물건들을 잃어버리기도 하지만, 그렇게 잃어버린 물건들을 다시 찾는 과정은 우리에게 중요한 교훈을 준다. 분실물을 찾기 위한 여정은 단순히 물건을 되찾는 것 이상의 의미를 가지며, 우리가 어떻게 서로에게 관심을 기울이고 돕는지를 보여준다.

특히, 분실물을 찾는 과정에서 경험하는 공동체의 연대감은 매우 소중하다. 분실물을 찾아주기 위해 도와주는 낯선 사람들과의 만남은 우리에게 인간의 따뜻함을 일깨워준다. 이러한 경험은 우리가 일상에서 마주치는 다양한 사람들과 더욱 긍정적으로 소통할 수 있는 기회를 제공한다.

분실물을 찾는 과정에서 가장 중요한 것은 적극적인 자세와 빠른 행동이다. 분실한 물건이 어디에 있을지, 어떻게 해야 되찾을 수 있는지에 대한 정보를 최대한 빠르게 수집하는 것이 핵심이다. 이를 위해 버스 회사의 분실물 센터에 연락하거나, 인터넷과 소셜 미디어를 활용하는 것이 매우 유용하다. 또한, 분실물을 찾는 과정에서는 다양한 사람들과의 협력이 필수적이며, 이러한 협력을 통해 우리는 종종 우리의 기대 이상의 결과를 얻게 된다.

결론적으로, 시내버스에서 물건을 잃어버렸을 때 그것을 가장 빠르게 찾는 방법은, 사전 예방, 즉각적인 행동, 기술의 도움, 소셜 미디어의 활용, 그리고 결코 희망을 잃지 않는 긍정적인 태도에 있다. 이러한 방법들은 우리가 분실물을 더욱 효과적으로 찾을 수 있도록 돕는 동시에, 우리 사회의 연대감과 인간애를 재확인하는 기회를 제공한다.

분실물을 잃어버린 경우, 담당 부서에 연락하는 것이 중요하다. 여기에 분실물을 처리하는 기본적인 절차를 소개한다.

버스 회사의 고객 서비스 센터 연락: 시내버스를 운영하는 회사마다 고객 서비스 센터나 분실물 담당 부서가 있다. 이곳에 먼저 연락하여 분실물 신고를 해야 한다. 이때, 버스 번호, 탑승한 시간 및 날짜, 탑승 및 하차 정류장 등 가능한 많은 정보를 제공해야 한다. 이 정보는 분실물을 찾는 데 큰 도움이 된다.

지역 교통 관리 기관 문의: 만약 시내버스가 여러 회사에 의해 운영되고 있거나, 어떤 회사의 버스인지 모르는 경우에는 지역 교통 관리 기관에 문의할 수 있다. 많은 도시나 지역에서는 대중교통에 관한 모든 문의 사항을 처리하는 중앙 관리 센터를 운영하고 있다.

온라인 포털 및 소셜 미디어 활용: 일부 버스 회사나 교통 관리 기관에서는 온라인 포털이나 소셜 미디어 채널을 통해 분실물 관련 정보를 제공하고 있다. 이를 통해 분실물 신고를 하거나, 이미 신고된 분실물의 정보를 확인할 수도 있다.

직접 방문: 가능한 경우, 버스 회사의 사무실이나 분실물 담당 부서를 직접 방문하는 것도 좋은 방법이다. 직접 방문하면 더 자세한 상황 설명과 신속한 처리가 가능할 수 있다.

분실물을 찾는 과정에서는 인내심을 가지고 여러 경로를 통해 시도하는 것이 중요하다. 또한, 분실물 신고 시 제공한 정보가 정확하고 구체적일수록 물건을 찾을 가능성이 커진다.

CH 2
최고의 서비스는
승객과의 소통이다

안전운전은 정신건강의 균형에서 나온다

운전은 자동차나 이동 수단을 조종하여 목적지에 도달하는 활동을 말한다. 운전은 우리 일상에서 빠질 수 없는 중요한 요소로 교통수단의 편리성과 자유로움을 제공한다. 그러나 운전은 책임과 안전에 대한 의무도 함께 따르는 활동이다. 이 활동은 운전자라면 누구나 해당하는 필수적인 사항이다. 운전이 직업이라면 어떨까? 필자가 근무하는 회사는 수백 명이 넘는 기사들이 근무하는 곳이다. 이들의 승객에 대한 안전, 정시 운전, 연료 절감, 승객 불만 해소 등 그 스트레스 해소 방법을 알아보자.

운전은 일상생활에서 피할 수 없는 부분이며 종종 스트레스의 주요 원인 중 하나로 작용한다. 붐비는 도로, 끊임없는 교통 체증, 예측 불가능한 운전자들 사이에서 우리의 정신 건강과 안전운전을 유지하는 것은 큰 도전이다. 그러나 몇 가지 전략을 통해 운전 중 스트레스를 효과적으로 관리하고, 심지어 해소하는 것이 가능하다. 이 글에서는 운전 중 스트레스를 줄이는 다양한 방법을 알아보고, 이를 통해 안전운전을 증진하는 방법을 제시해 보겠다.

호흡 조절: 스트레스가 쌓일 때 가장 기본적이면서도 효과적인 해소법은 호흡 조절이다. 깊고 천천히 숨을 들이마시고 내쉬는 것만으로도 우리 몸은 긴장을 풀고, 마음이 진정된다. 운전 중에는 복식호흡을 시도해 보자. 깊게 숨을 들이쉬면서 배를 부풀리고, 천천히 숨을 내쉬면서 배를 움츠리게 한다. 그리고 기침도 크게 몇 번 해보자. 이 두 과정을 몇 차례 반복하면, 심장 박동이 느려지고, 혈압이 낮아지며, 스트레스 호르몬의 수치가 감소한다.

긍정적인 생각: 필자도 군대 시절부터 지금까지 거의 매일 운전을 하고 있다. 운전하는 것이 싫어하지 않는다. 오히려 재미있어하는 편이다. 그래서 사고도 없으며 운전으로 인한 스트레스는 거의 없다. 이처럼 긍정적인 생각은 스트레스 상황에서 우리의 태도를 변화시키는 강력한 도구이다. 운전 중 스트레스를 느낄 때, 상황을 부정적으로 해석하기 쉽지만, 이러한 순간에 긍정적인 면을 찾아보자. 예를 들어, 교통 체증이라면 이 시간을 자기 성찰의 기회로 삼아 보자. 이는 운전 중 스트레스를 줄이고, 더욱 집중할 수 있게 도와준다.

음악의 힘: 누구나 좋아하는 가수와 좋아하는 노래가 있을 것이다. 필자도 기분이 우울하다거나 일이 잘 풀리지 않을 때는

어김없이 음악을 듣는다. 음악은 감정을 조절하고 스트레스를 줄이는 데 매우 효과적인 수단이다. 운전 중에도 좋아하는 음악을 듣는 것은 긍정적인 감정을 유발하고, 집중력을 높이며, 운전하는 동안의 불안을 줄일 수 있다. 클래식 음악, 재즈, 또는 자신이 선호하는 장르의 음악을 재생하여 긴장된 분위기를 완화시켜 보자. 음악은 또한 교통 체증 속에서 시간이 더 빨리 지나가는 느낌을 줄 수 있다.

스트레칭과 신체 활동: 오랜 시간 운전으로 인한 긴장과 피로는 스트레스를 증가시킨다. 안전한 장소에서 차를 세우고, 간단한 스트레칭이나 가벼운 운동을 하는 것은 신체의 긴장을 풀고 스트레스를 줄일 수 있다. 어깨를 위로 올렸다가 천천히 내리는 동작, 목을 좌우로 부드럽게 돌리는 스트레칭, 팔을 위로 뻗어 늘리기 등 간단한 운동은 혈액 순환을 촉진하고 긴장된 근육을 이완시켜 준다. 이러한 활동은 몇 분만 투자해도 운전으로 인한 스트레스와 피로를 크게 줄일 수 있으며, 운전에 대한 집중력과 기분을 개선하는 데 도움이 된다.

명상: 명상은 마음을 진정시키고 스트레스를 줄이는 데 매우 유용한 방법이다. 운전 중에도 간단한 명상 기법을 활용할 수 있다. 예를 들어, 신호 대기 중이거나 잠시 정차한 상태에서, 눈을 감고 현재 순간에 집중하는 명상을 시도해 보자. 호흡에 집중하고, 마음이 다른 곳으로 흘러가려 할 때마다 다시 호흡으로 돌아와 보자. 이는 운전 중 스트레스를 줄이고, 마음을 진정시키는 데 도움이 된다.

소통과 공감: 운전 중 스트레스를 느낄 때 가족이나 좋은 친구들을 상상하는 것도 좋은 방법이다. 물론 운전 중에는 통화가 금지이다. 휴식 시간을 활용하여 사랑하는 사람과의 대화는 긍정적인 감정을 유발하고, 스트레스를 줄이며, 운전 중 겪는 어려움을 나누고 이해받는 느낌을 줄 수 있다.

자연과의 교감: 마지막으로, 쉬는 시간이나 휴무일에는 시간을 내어 자연 속으로 들어가 보자. 공원이나 숲 같은 곳에서 산책을 하는 것만으로도 마음의 안정을 찾고 스트레스를 줄일 수 있다. 자연의 소리와 풍경은 마음을 진정시키고 스트레스 해소에 큰 도움이 된다. 몇 번 반복으로 자연과 교감하는 것은 운전으로 인한 긴장감을 완화하며, 정신적, 신체적 건강을 도모하고 좋은 에너지를 충전하는 데 효과적이다.

운전 중 스트레스 해소는 단순히 긴장을 풀거나 기분을 좋게 하는 것 이상의 의미를 가진다. 이는 우리의 정신 건강을 보호하고, 안전운전을 유지하는 데 필수적인 요소다. 이상과 같은 방법들을 통해, 운전 스트레스를 효과적으로 관리하고, 더욱 즐겁고 안전한 운전 생활을 영위하길 바란다.

작심삼일!
분실물 찾아주기 유튜브 프로젝트

우리의 일상은 예기치 못한 사건들로 가득 차 있다. 가장 흔하면서도 불편한 사건 중 하나는 바로 소중한 물건을 잃어버리는 것이다. 시내버스 회사에 근무하게 되면서 자연스럽게 접하게 된 일이다. 하루에도 수십 건의 분실물들이 들어오는 것을 목격하고 있다. 이러한 분실물들은 며칠만 지나도 사무실 한쪽이 수북이 쌓여가는 주인 잃은 미아들이다. 이와 비례해서 분실물 찾는 전화도 끊임없이 이어진다. 어떤 경우에는 본연의 업무가 방해될 정도로 수시로 전화벨이 울린다. 전화해서 물건을 찾으면 다행이지만, 포기하거나 어디에서 잃어버렸는지 모른다는 사실이다. 이는 서울이라는 거대한 도시뿐만 아니라, 아마도 전국의 모든 대중교통에서 공통으로 겪는 문제일 것이다. 그래서 더 얘기하지 않을 수 없다. 이러한 문제 상황 속에서 나는 분실물을 찾아주는 유튜브 채널 개설을 꿈꿨다. 그러나 본연의 업무에 집중하기 위해 이 꿈은 작심삼일로 끝나고 말았다. 그런데도 이 아이디어는 나에게 계속 맴돌고 있다.

분실물 문제는 단순히 물건을 잃어버린 사람에게만 영향을 미치는 것이 아니다. 물건을 잃어버린 즉시 물건은 감시 대상이 되며, 버스 기사는 분실물 센터에 접수해야 하는 번거로움이 시작된다. 나 역시 과거에 손가방을 잃어버린 경험이 있다. 한번은 지인과 술자리를 마치고 집으로 돌아오는 지하철에 깜빡하고 손가방을 두고 내렸다. 그 손가방에는 나에게 소중한 물건들이 가득 들어 있었다. 며칠간의 불안한 기다림 끝에 지하철 분실물 센터에서 손가방을 되찾았을 때의 안도감과 기쁨은 이루 말할 수 없었다. 이 경험을 통해, 나는 분실물을 찾아주는 일의 가치를 새삼 깨닫게 되었다. 우리 시내버스에서도 물건을 잃어버리고 나와 똑같이 안절부절 찾을 수 있기만을 고대하는 사람들이 있을 것이다.

내용은 분실물을 주인에게 찾아주는 것을 이야기하고 있다. 분실물을 단순한 물건으로만 보지 않고, 그 물건이 가진 의미와 가치를 인지하는 것에서 출발한다. 이는 잃어버린 사람들의 입장을 이해하는 역지사지의 정신을 바탕으로 한다. 분실물을 찾아주는 행위는 단지 물건을 돌려주는 것을 넘어서, 사람들 사이의 소통과 연결을 회복시키고, 잃어버린 이들에게 희망을 전달하는 의미 있는 일이다. 이 과정에서 우리는 때로는 오해받거나 어려움에 직면할 수도 있지만, 진실을 추구하고 선한 의지로 행동하는 것이 결국 긍정적인 변화를 끌어낼 것이다. 이러한 노력은 사회 내에서 서로를 돌보고 지원하는 문화를 장려하며, 결국 모두를 위한 좋은 일이 될 것이기 때문이다.

지갑, 카드, 휴대폰, 책, 노트북, 장난감 심지어 김치에 이르기까지…. 버스에서 발견되는 다양한 물건들은 단순한 물건이 아니다. 이것들은 누군가에게 중요한 의미를 지니고, 잃어버린 그들에게는 큰 상실감을 주는 것들이다. 그래서 나는 다시 한번, 분실물 찾아주기 프로젝트의 필요성을 강조하고 싶다. 비록 처음의 유튜브 채널 개설 계획은 실패로 돌아갔지만, 이 아이디어를 포기할 수는 없다.

분실물을 찾아주는 일은 단순히 물건을 돌려주는 것 이상의 의미가 있다. 그것은 누군가의 하루를 구원하는 일이며, 작은 것이지만 큰 기쁨을 주는 일이다. 분실물을 찾아주는 과정에서 우리는 물건 이상의 가치를 전달하는 것이다. 그것은 바로 아직도 우리 사회는 정이 살아 있어 살 만하다는 것이다. 그것은 신뢰와 안도감, 그리고 사회적 연결고리를 복원하는 일이다. 물건을 잃어버린 사람에게 그 물건은 단순한 물질적 가치를 넘어서는 의미를 지닐 수 있다. 예를 들어, 노트북에는 중요한 업무 파일이, 지갑에는 추억이 담긴 사진이 있을 수 있다. 그래서 분실물을 찾아주는 일은 그 사람에게 소중한 추억이나 중요한 일의 연속성을 되돌려주는 것과 같다.

나는 이 프로젝트를 통해 우리 사회에 따뜻한 연결고리를 만들고 싶다. 분실물을 찾아주는 것은 단순한 물건의 반환 이상으로, 사람들 사이의 신뢰를 회복하고, 서로를 배려하는 문화를 조성하는 데 기여할 수 있다. 이것은 우리 사회가 좀 더 포용적이고 연결된 공동체로 발전하는 데 중요한 역할을 할 수 있다고 보기 때문이다.

그렇기 때문에, 누군가가 다시 한번 이 실시간 유튜브 프로젝트를 시작했으면 좋겠다. 물론 경찰청이나 서울시 등 단체별로 분실물을 취급하는 곳이 있는 줄 안다. 그러나 어떤 업무부서가 있어도 그만, 없어도 그만인 그런 업무가 아닌, 정식 업무로 승격하고 좀 더 체계적으로 접근하여, 분실물을 찾아주는 과정을 기록하며, 그 과정에서 겪는 이야기들을 공유함으로써, 더 많은 사람이 이 프로젝트에 관심을 가지고 참여할 수 있도록 하는 것이다. 이 프로젝트를 통해 사람들이 서로를 도울 수 있는 방법에 대해 생각해 보고, 우리 사회에 긍정적인 변화를 만들어갈 수 있도록 동기를 부여가 되었으면 정말 좋겠다. 또한, 이 분실물 찾아주기 프로젝트는 단순히 물건을 돌려주는 행위를 넘어서, 우리 사회가 따뜻함과 연결된 감정을 전파하는 중요한 미션을 담고 있기를 바란다. 이 작은 시작이 큰 변화의 시작점이 될 수 있기를 진심으로 바란다.

더 바람이 있다면 서울시나 경찰청 산하에 전담 부서를 신설하는 것이다. 만약 직접 관리가 어렵다면 민간 전문 위탁회사를 두고 관리해도 무방할 것이다. 처음에는 크게 주목하지 않았지만, 차츰 공감을 얻게 될 것이라 확신한다. 그리하여 버스나 지하철에 '잃어버린 물건을 찾아 드립니다'라는 작은 포스터를 붙이고, SNS를 통해 언제 어디서나 볼 수 있게 만드는 것이다. 어렵다거나 문제 될 것이 없어 보인다. 이렇게 된다면 금세 빛을 발하기 시작할 것이다.

버스 차내 안전사고의 유형과 대응 방법

1. 앞문 끼임 사고

*사고 설명

- 사고 발생 배경: 버스 운전 초보자에게 자주 발생하는 사고 중 하나로, 승객이 탑승 중인 상태에서 조급한 마음에 버스 앞문을 닫게 되어 승객이 문에 끼이는 사고이다. 버스 앞문의 작동 속도는 버스마다 다르며, 이는 사고 발생 가능성에 영향을 준다.

- 주요 원인: 배차 시간에 쫓겨 빠르게 문을 닫고 출발하려는 기사의 조급함이 주된 원인이다. 또한, 마지막 탑승객으로 인식했으나 실제로는 그 뒤에 다른 승객이 더 있어 사고가 발생하는 경우도 있다. 이는 승객의 체구가 작거나, 버스 앞문 계단의 높이로 인해 도로에서 대기 중인 승객을 보지 못하는 경우에 발생할 수 있다.

*대응 방안

-앞문 닫기 전 확인 사항: 뒷문으로 승객이 모두 하차했는지 확인하고, 뒷문이 완전히 닫힌 것을 확인한 후에야 앞문을 다루어야 한다. 또한, 앞문으로 탑승하는 승객을 철저히 확인하고, 탑승 손님 뒤에 아무도 없는 것을 확인한 후에 앞문을 닫는 습관을 들여야 한다.

-시간 대비 사고 위험성 인식: 시간에 쫓기는 것보다 안전을 우선시하는 태도가 중요하다. 1초 일찍 출발하려다가 발생하는 앞문 끼임 사고로 인해 1시간 늦게 출발할 수 있음을 인식해야 한다.

이러한 사고 유형과 대응 방안을 인식하고 실천함으로써, 버스 기사와 승객 모두가 안전한 대중교통 이용이 가능할 것이다. 안전사고 방지를 위한 철저한 사전 확인과 주의 깊은 태도가 중요하다.

2. 뒷문 끼임

*사고 설명

- 사고 발생 배경: 버스 뒷문은 앞문에 비해 닫히는 속도와 힘이 3~5배 더 강하다. 대부분의 버스 뒷문에는 승객이 계단에 있을 경우 이를 인지하여 문이 닫히지 않도록 하는 센서가 장착되어 있다. 그러나 갑자기 하차하려는 승객, 뒤늦게 탑승하려는 승객, 하차 태그를 하지 않고 나중에 하려는 승객 등 예측 불가능한 상황으로 인해 끼임 사고가 발생할 수 있다.

- 주요 원인: 끼임 사고의 주요 원인 중 하나는 뒷문 센서의 고장이나, 제대로 된 작동이 이루어지지 않는 경우이다. 몇 년 전, 하차 태그를 하려던 여학생의 옷이 뒷문에 끼어 사망하는 사고도 있었으며, 이는 뒷문 센서가 제대로 작동되지 않았기 때문에 발생한 것이다.

*대응 방안
- 운행 전 센서 점검: 매일 운행 전에 반드시 뒷문의 센서가 제대로 작동되는지 체크해야 한다. 센서가 고장 난 상태라면 즉시 회사 정비팀에 수리를 요청해야 한다.
- 수리 대기 중 주의: 수리가 이루어지기 전까지는 운전기사가 더욱 주의 깊게 하차 문 상황을 살펴야 한다. 특히, 뒷문을 통한 하차가 진행될 때는 승객의 동작에 주의를 기울여야 하며, 뒷문이 완전히 닫히기 전까지는 출발을 서두르지 않아야 한다.
이러한 대응 방안을 통해 뒷문 끼임 사고를 예방할 수 있다. 아무리 바쁜 일정이라도, 승객의 안전이 최우선임을 잊지 말고, 운전기사는 센서 점검 등 사전 조치를 철저히 하며, 승객은 하차 시 주변 상황을 잘 살피는 것이 중요하다. 안전한 버스 이용 환경을 위해 운전기사와 승객 모두가 함께 노력해야 한다.

3. 정차 시 뒷문으로 하차하려다가 넘어지는 사고
*사고 설명
- 사고 발생 배경: 최신 버스는 버스가 완전히 정차한 후에

앞문과 뒷문이 열리며, 문이 완전히 닫혀야만 엑셀러레이터가 작동한다. 하지만 오래된 버스들은 정류장에 진입하는 도중, 즉 버스가 완전히 멈추지 않았음에도 불구하고 문이 열린다. 이로 인해 승객들이 문이 열리는 소리를 듣고 준비되지 않은 상태에서 뒷문으로 서둘러 하차하려고 한다.

  - 주요 원인: 버스가 정차할 때, 브레이크를 천천히 밟아도 관성의 법칙으로 인해 버스가 출렁거리며 정차하게 된다. 이때, 손잡이를 잡지 않은 상태로 손에 물건을 든 채 균형을 잡지 못해 휘청거리거나 넘어지는 사고가 발생한다.

  *대응 방안
  - 앞문 먼저 개방: 사고를 예방하기 위해선 버스 기사는 정류장에 들어서면서 앞문을 먼저 열고, 차가 완전히 멈춘 후에 뒷문을 열어야 한다.
  - 출발 시 문 순서: 출발할 때는 뒷문을 먼저 닫고, 그 후에 앞문을 닫는 순서를 몸에 익혀야 한다. 이는 뒷문으로 하차하려는 승객들이 안전하게 내릴 수 있도록 보장한다.
  일부 기사들이 시간을 줄이기 위해서 정류장에 들어서면서 앞문과 뒷문을 동시에 여는 경우가 있다. 절대 그래서는 안 된다. 사고를 예방하기 위해서는 항상 위의 방안대로 몸에 배도록 해야 한다. 몇 초 빨리 출발하려는 조급함이 항상 사고로 이어지게 된다.

4. 버스 급제동에 의해 넘어지는 사고

버스 운행 중 급제동으로 인한 승객 넘어짐 사고는 누구에게나 예기치 않게 발생할 수 있는 끔찍한 순간이다. 이러한 사고의 주요 원인과 대응 방안을 살펴보자.

* 급제동의 원인

- 신호 대기 중 급제동: 버스 기사님들은 항상 시간에 쫓기는 상황에 처해 있다. 특히 초보 기사들은 표준 구간 시간을 맞추기 어렵다 보니 조급해지기 쉽다. 긴 신호 대기 시간을 가진 사거리에서 앞차를 따라잡아 사거리를 통과하려 할 때, 앞서가던 승용차가 갑자기 정지하면 충돌을 피하기 위해 급브레이크를 밟게 된다. 이때 차내 승객들이 넘어지는 사고가 발생한다.

- 차선 급변경에 따른 급제동: 버스 정류장에서 승하차 후 출발 시 가장 자주 발생하는 사고 유형 중 하나다. 버스가 급출발하기 어렵다는 것을 알고 있는 승용차나 배달 오토바이가 버스 앞으로 급하게 끼어들어 우회전하려 할 때, 기사가 뒤늦게 이를 발견하고 급제동을 하게 된다. 이로 인해 차내 승객이 넘어지는 사고가 자주 발생한다.

*대응 방안

- 앞차와의 간격 유지: 기사들은 신호체계에 충분히 익숙해지기 전까지는 앞차와의 간격을 충분히 유지하며, 앞차가 갑자기 멈출 수 있다는 생각으로 운전해야 하고, 예측 운전은 피해야 한다.

- 차선 급변경에 대한 주의: 정류장에서 출발하기 전, 반드시 왼쪽 옆 거울을 확인한 후 버스를 출발시키는 것이 중요하다. 이는 차선 급변경으로 인한 급제동 사고를 방지할 수 있는 가장 좋은 방법이다.

- 사고 발생 시 대처 요령: 사고가 발생했을 경우, 제일 먼저 달아나는 승용차나 오토바이의 끝 번호를 메모하는 것이 중요하다. 이는 블랙박스에 녹화가 되지 않는 경우를 대비하는 조치이다. 승객의 상태를 확인하고, 필요한 구호 조처를 신속히 진행해야 한다.

- 승객 부주의로 넘어지는 경우: 급제동을 하지 않았는데, 본인의 부주의로 넘어져 경찰서에 신고가 되는 경우도 있다. 이는 차내 CCTV를 제출하여 해결할 수 있다. 또 과실을 인정할 수 없을 때 "즉결심판"을 요구해 무죄판결을 받은 사례가 있으니, 참고하기 바란다.

버스 운행 중 급제동으로 인한 승객 넘어짐 사고는 불가피한 상황에서 발생할 수 있다. 하지만 사전에 대비하고 주의 깊게 운전한다면, 이러한 사고의 위험을 크게 줄일 수 있다. 우리 모두의 안전을 위해 버스 기사들의 세심한 배려와 주의가 필요하다.

5. 버스 급출발 또는 변속 시 넘어지는 사고

버스의 급출발이나 변속 도중 승객이 넘어지는 사고는 기사의 주의 깊은 관찰과 세심한 운전 습관을 통해 예방할 수 있다. 다음은 이러한 사고를 방지하기 위한 몇 가지 방안이다.

*승차 후 출발 전 체크

- 룸미러 확인: 승객이 버스에 승차한 후 반드시 룸미러를 통해 모두가 자리에 앉았는지 확인하는 것이 중요하다. 이는 출발 직후 승객이 넘어지는 사고를 방지하는 기본적인 예방 조치이다.

- 주의 깊은 청취: 출발 후에도 항상 귀를 기울여 자리를 옮기는 소리가 나는지 주의 깊게 듣는다. 특히 어린이나 노인 승객의 경우 갑자기 자리를 바꾸는 경우가 많으므로, 이러한 소리가 들릴 경우 속도를 줄이면서 룸미러로 다시 한번 확인하는 것이 좋다. 이를 위해, 운전 중에는 라디오를 듣지 않는 것이 바람직하다.

*변속 시 주의 사항

- 기어 변속: 최신 차종의 버스는 자동 변속 기어를 사용하여 운행 중 변속이 필요 없으나, 아직도 수동 변속기를 사용하는 오래된 버스가 있다. 2단에서 3단으로 변속할 때 발생할 수 있는 약간의 덜컹거림도 승객이 넘어지는 사고로 이어질 수 있다.

- 부드러운 변속: 2단에서 3단으로 변속할 때 RPM(엔진 회전수)을 적절히 조절한 후 부드럽게 변속하는 방법을 익혀야 한다. 이는 변속 도중 차량이 덜컹거리는 것을 최소화하고, 승객이 넘어지는 사고를 방지하는 데 도움이 된다.

버스 운전자의 사소한 주의와 세심한 운전 습관은 승객의 안전을 지키는 데 중요하다. 승차 후 출발 전과 운행 중 변속 시에는 특히 더욱 주의를 기울여야 한다. 이러한 조치는 승객이 넘어지는 사고를 방지하고 모두가 안전하게 목적지에 도착할 수 있도록 도와준다.

버스 한 대가 정류장에 멈춰 선다. 뒷문이 열리는 순간, 봄바람처럼 상쾌한 기운이 승객들 사이로 스며든다. 승객들은 서로를 배려하며, 차분히 하차한다. 아무리 바쁜 아침이라도, 우리는 서로를 위한 작은 배려를 잊지 않는다. 버스 기사는 승객 모두가 안전하게 하차할 때까지 기다려 주고, 승객들은 감사의 마음을 담아 기사에게 인사를 건넨다. 이 작은 순간들이 모여, 우리의 일상에 따뜻함을 더한다. 바쁜 일상 속에서도, 서로를 배려하는 마음이 우리 사회를 더욱 풍요롭게 만든다. 우리가 모두 안전하고 배려 깊은 대중교통 이용 문화를 만들어 가는 데 일조하자.

도로 위에서 많이 일어나는 사고 유형과 예방책

　도시의 심장을 뛰게 하는 시내버스는 매일 수많은 시민을 목적지까지 안전하게 이동시키는 중요한 교통수단이다. 그러나 끊임없이 분주한 도로 위에서는 시내버스 운행 중 다양한 사고가 빈번히 발생하곤 한다. 이러한 사고는 단순히 물질적 손실을 넘어서 운전자와 승객, 그리고 보행자의 안전을 심각하게 위협하며, 때로는 소중한 생명까지 앗아갈 수 있다. 따라서, 도로 위에서의 사고를 줄이기 위해서는 우선 사고의 유형을 정확히 파악하고, 그에 따른 효과적인 예방책을 모색하는 것이 필수적이다. 본 글에서는 시내버스 운행 중 도로 위에서 자주 발생하는 사고의 유형을 차례대로 살펴보고, 각각의 사고 유형에 대한 예방책을 심도 있게 탐구해 본다. 이를 통해 더 안전한 도로 환경을 조성하고, 시민들의 생명과 재산을 보호하고 기사님들에게는 안전의식을 고취하고자 한다.

1. 차선 변경 시 사고

도시 내 버스 운행 중에 발생하는 다양한 사고 유형 중에서도, 차선 변경 시 발생하는 사고는 특히 초보 버스 기사들에게 자주 발생하는 어려움 중 하나다. 이는 특히 넓은 도로의 4~5차선에서 버스 정류장을 출발하여 다음 정류장으로 이동하기 전, 좌회전 대기나 유턴을 위해 1차선으로 이동해야 하는 구간에서 두드러진다. 짧은 거리 내에서 여러 차선을 변경해야 하는 것은 결코 쉬운 일이 아니며, 심지어 경험이 많은 버스 기사 사이에서도 가장 어려워하는 구간으로 꼽힌다.

특히, 출퇴근 시간대와 같이 도로 위 차량 통행이 밀집되어 있을 때, 다른 차량 사이의 틈을 찾아 차선을 변경하는 것은 매우 어려운 일이다. 대중교통 수단인 버스를 운전하는 입장에서는 다른 승용차들이 양보해 줄 것이라 기대하기 쉽지만, 실제로는 80% 이상의 차량이 양보하지 않는 현실이다. 이에 따라 급한 마음에 차선 변경을 시도하다가 충돌 사고가 발생하는 경우가 많으며, 이때 대부분 차선 변경을 시도하던 버스 기사의 과실이 70~90%로 판단된다.

사고가 발생하여 부상자가 생기고, 119구급차와 함께 112 경찰차가 출동하는 상황이 되면, 경상자 한 명당 부과되는 벌점은 3점이다. 따라서 10명 이상의 경상자가 발생할 경우, 버스 기사는 즉시 면허 정지 처분을 받을 위험에 처하게 된다. 이러한 상황을 피하기 위해선, 운전석 창문으로 손을 내밀고 차량이 양보할 때까지 기다리는 인내심이 필요하다. 결국, 차선 변경 시 사고를 예방하는 것은 버스 기사의 운명과도 같으며, 서두르지 않고 기다림의 중요성을 인식하는 것이 중요하다.

2. 신호 위반 사고

교통법규를 준수하는 것은 도로 위에서의 안전을 보장하는 가장 기본적인 원칙 중 하나다. 그러나 신호 위반 사고는 도로 위에서 발생할 수 있는 가장 치명적인 사고 유형 중 하나로, 몇 분을 아끼려는 서둘러진 마음이 대형 사고로 이어질 수 있음을 상기시킨다.

첫 번째로, 좌회전 후 직진 신호체계가 있는 사거리에서 좌회전 신호가 종료됨에도 불구하고 전속력으로 좌회전을 시도하는 경우가 위험하다. 이때 건너편 차선에서는 좌회전 신호가 종료되면 직진 신호로 변경됨을 기다리는 오토바이와 차들이 있으며, 좌회전하는 방향의 횡단보도에는 보행자들이 건너기를 준비하고 있다. 이러한 상황에서 무리한 좌회전을 시도할 경우, 직진하는 오토바이나 차량과의 충돌은 물론, 횡단보도를 건너는 보행자를 충돌하는 대형 사고로 이어질 수 있다.

두 번째, 위험한 상황은 직진 후 좌회전 신호체계가 있는 사거리에서 직진 신호가 종료되는 순간에도 불구하고 전속력으로 직진을 시도하는 경우이다. 이때 좌회전 신호로 바뀌자마자 출발하는 오토바이와 승용차들과의 충돌은 물론, 급제동 시 차량 내 승객이 앞으로 날아가 다치는 사고가 발생할 수 있다.

따라서, 신호 위반을 피하고 안전한 운전을 실천하는 것은 단순히 법규를 준수하는 것을 넘어서 우리 모두의 안전을 지키는 기본적인 책임이다. 몇 분을 아끼기 위해 서두르는 것보다는, 인명과 안전을 최우선으로 생각하는 마음가짐이 필요하다.

3. 우회전 시 보행자 인사 사고

우회전 시 발생할 수 있는 보행자와의 충돌 사고에 대해 깊이 있게 논의해 보자. 도로에서 안전은 운전자와 보행자 모두에게 매우 중요한 문제다. 특히, 사거리에서 우회전을 기다리는 상황은 더욱 주의가 필요하다.

사거리에서 가장 오른쪽 차선에 서서 우회전 신호를 기다리는 경우, 우회전을 시작하는 시점은 대개 직진 신호가 활성화되었을 때다. 이때, 우회전하고자 하는 방향의 횡단보도에는 보행자가 횡단하고 있을 확률이 높다. 운전자는 보행자가 없다고 확신한 후에 우회전을 진행하지만, 끝나가는 보행자 신호에 맞춰 멀리서 달려오는 보행자를 간과하는 경우가 종종 있다.

더욱이, 초보 운전자의 경우 우회전 시 필요한 회전 반경을 정확히 파악하지 못해, 차량의 뒷바퀴가 인도로 올라가 보행자를 충돌하는 사고가 발생하기도 한다. 이러한 사고는 운전자와 보행자 모두에게 큰 위험을 초래하며, 심각한 부상이나 더 나쁜 결과를 낳을 수 있다.

이를 방지하기 위해서는 운전자가 우회전 시 보행자 신호를 철저히 확인하고, 특히 멀리서 달려오는 보행자에 대해서도 주의를 기울여야 한다. 또한, 우회전 시 적절한 회전 반경을 유지하여 보행자 안전을 최우선으로 고려하는 것이 중요하다. 우회전 시 보행자와의 충돌 사고는 사전에 충분히 예방할 수 있는 사고이므로, 운전자는 항상 주변 상황에 대한 경각심을 가져야 한다. 안전운전은 단순히 자신을 보호하는 것뿐만 아니라, 도로 위의 모든 이용자의 생명을 보호하는 것이 기본적인 책임임을 명심하자.

4. 악어의 꼬리치기 사고

악어의 꼬리치기는 대부분 유턴 진행 중 내 버스의 뒷부분이 옆 차로에 있는 승용차를 충돌하는 경우다. 이의 원인은 한 번에 유턴하기 위해서, 유턴 신호대기 시 핸들을 최대한 왼쪽으로 돌려놓은 상태에서 대기하다가, 유턴을 시도하는 경우에 많이 발생한다. 이를 방지하기 위해서는 핸들을 한꺼번에 꺾어서 대기하지 말고, 유턴 진행하면서 천천히 핸들을 왼쪽으로 돌리셔야 한다. 차선이 좁을 경우 다소 힘들더라도, 한 번 후진했다가 유턴을 완성하겠다는 생각으로 하기 바란다.

5. 신호대기 중 추돌사고

사거리에서 직진이나 좌회전 신호대기 중, 휴대전화를 보거나 한눈을 파는 중에, 사이드 브레이크가 풀려있는 것을 모르고 브레이크에서 발을 떼버릴 경우, 경사에 의해 앞으로 굴러가 앞차와 추돌하거나, 뒤로 굴러가 뒤차와 추돌하는 경우가 의외로 많다. 안전운전의 적은 휴대전화다.

6. 비나 눈이 왔을 때의 미끄러짐 사고

비나 눈이 내릴 때는 도로 상황이 평소와 달리 위험해질 수 있다. 이때는 특히 미끄러짐 사고에 주의해야 한다. 다음은 비나 눈이 왔을 때 미끄러짐에 특별히 유의해야 하는 몇 가지 장소와 조치 사항이다.

첫째, 속도 방지턱이나 어린이 보호구역 등 흰색과 노란색, 그리고 빨간색으로 페인트칠이 된 도로 구간은 비나 눈이 왔을 때 특히 미끄러울 수 있다. 또한, 도로에 설치된 철판(예를 들어, 맨홀 뚜껑이나 공사로 인해 임시로 설치된 철판 등) 역시 미끄러지기 쉬우므로 주의가 필요하다.

둘째, 눈이 많이 쌓인 경우, 버스와 같은 대형 차량이 정류장에 가까이 정차하려 할 때, 도로 가장자리에 쌓인 눈 때문에 미끄러지는 사고가 발생할 수 있다. 이런 상황에서는 차량을 적당한 거리에 정차시켜야 한다. 너무 가까이 다가서려 하지 말고, 안전한 거리를 유지하는 것이 중요하다.

셋째, 비나 눈이 오는 날에는 항상 서행 운전을 해야 한다. 미끄러운 도로 상황에서는 평소보다 더 조심스러운 운전이 필요하다. 서행 운전은 미끄러짐 사고를 예방하는 가장 좋은 방법의 하나다.

마지막으로, 눈이 많이 와서 운행에 자신이 없는 경우에는 차량을 안전한 곳에 정차시키고, 회사나 관련 기관에 연락하여 운행 계속 여부를 상의해야 한다. 무리하게 운행을 계속할 필요가 없으며, 상황을 잘 판단하여 안전을 최우선으로 고려해야 한다.

비나 눈이 왔을 때의 미끄러짐 사고는 주의 깊은 관찰과 조심스러운 운전 태도로 많은 부분 예방할 수 있다. 안전운전은 스스로뿐만 아니라 다른 이용자들의 안전을 지키는 기본적인 방법이다.

기타

버스 운행 중 고장이나 사고가 발생하여 운행이 어려울 때 대처 방법에 관하여 몇 가지 중요한 점을 지적하고자 한다. 우선, 버스가 고장 난 경우나 사고가 발생했을 때는 먼저 비상 깜빡이를 켜는 것이 필수적이다. 이는 회사나 다른 운전자들에게 현재 상황을 알리고, 사고 확대를 방지하는 중요한 수단이다. 더불어 버스의 엔진룸 뚜껑을 열어 놓음으로써, 버스가 단순히 정차 중이 아니라 고장이 발생한 상태임을 보다 명확히 알릴 수 있다.

특히, 버스 정류장에서 사고가 발생했을 경우, 비상 깜빡이만 켜놓으면 뒤따라오는 버스가 가까이 정차하게 되고, 이에 따라 도로 상황이 더욱 혼란스러워질 수 있다. 이러한 상황을 방지하기 위해서는 버스 운전자들이 사고 발생 시 적절한 조처를 하는 것이 중요하다.

버스 기사들과 얘기해 보면, 무사고 운행은 운전 실력만으로는 결정되지 않으며, 운이 좋은 결과의 일부라는 것이다. 이러한 '운'을 더 많이 받기 위해서는 어떻게 해야 할까? 바로 방어(서행) 운전이다. 방어 운전은 돌발 상황에 즉시 반응하여 멈출 수 있게 해준다. 따라서, 모든 기사님이 방어 운전을 실천함으로써 오랫동안 무사고 운행을 이어갈 수 있기를 바란다.

안전 운행은 단순히 자신을 보호하는 것을 넘어, 다른 도로 이용자들의 안전을 보장하는 것이다. 따라서, 모든 운전자가 상황에 맞는 적절한 대처 방법을 숙지하고, 방어 운전을 실천하여 도로 위의 안전한 환경을 만드는 데 기여해야 할 것이다.

눈꺼풀 천근만근, 눈 깜짝할 사이에 저승 간다

　새벽의 끝자락, 도시는 아직 잠에서 깨어나지 못한 듯 조용하다. 하지만 수많은 버스 운전기사는 벌써 하루의 분주함 속으로 달려가고 있다. 이들 중 일부는 눈꺼풀이 천근만근으로 무거운 것을 느끼며, 그 무게를 실감하고 있다. 바로 졸음운전, 우리가 흔히 마주치면서도 그 심각성을 종종 간과하는 그 현상이다.

　신호등은 빨간색에서 초록색으로, 다시 빨간색으로 변한다. 차량은 가다 서기를 반복하며, 이러한 단조로운 행동 사이에서 운전자의 눈꺼풀은 점점 무거워진다. 잠을 충분히 자지 못한 운전자들, 긴 하루를 보낸 후 피곤함에 지친 이들에게 졸음은 어김없이 찾아온다. 그러나 이 순간의 졸음운전은 단순한 피로의 표시를 넘어서는 것이다. 그것은 우리 모두에게 심각한 위협으로 다가온다.

졸음운전은 운전자로 하여금 주의력을 상실하게 하고, 반응 시간을 늦추며, 결국엔 끔찍한 교통사고로 이어질 수 있는 치명적인 도박이다. 이 순간, 눈을 깜빡이는 그 짧은 시간이 곧 영원으로 변할 수 있다. 그러나 안타깝게도, 이러한 위험에도 불구하고 많은 사람은 졸음운전의 잠재적인 위험을 경시하곤 한다.

이 문제를 해결하기 위해서는 먼저 졸음운전의 위험성을 인식하는 것부터 시작해야 한다. 우리는 이를 단순한 피로 또는 일시적인 약점으로 치부할 것이 아니라, 실제로 우리의 생명과 타인의 생명을 위협하는 심각한 문제로 인식해야 한다. 그리고 이러한 인식을 바탕으로, 졸음운전을 방지하기 위한 구체적이고 실질적인 조처를 해야 한다. 충분한 수면 취하기, 장시간 운전 시 정기적인 휴식 취하기, 필요시 카페인 섭취 등의 방법이 그 예일 것이다.

결국, 눈꺼풀이 천근만근으로 무거워지는 그 순간, 우리는 선별의 갈림길에 서 있다. 한쪽은 잠시의 휴식과 안전을 선택하는 길이고, 다른 한쪽은 눈 깜짝할 사이에 벌어질 수 있는 비극으로 이어지는 길이다. 우리의 선택은 무엇인가? 그 대답은 각자의 마음속에 있다. 하지만 분명한 것은, 우리가 모두 안전한 운전 문화를 조성하여, 이 사회의 일원으로서 책임을 지는 것이 중요하다는 점이다.

안전한 운전 문화를 조성하기 위해 우리는 개인 차원에서뿐만 아니라, 사회적인 차원에서도 노력해야 한다. 관련 기관과 기업은 졸음운전에 대한 경각심을 높이기 위한 캠페인을 지속해서 실시하고, 졸음운전 방지를 위한 교육 프로그램을 개발하고 기사들에게 교육해야 한다. 또한, 운전기사들을 위한 휴식 공간을 확대하고, 이곳에서 졸음을 쫓을 수 있는 다양한 서비스를 제공해야 한다.

장시간 운전과 과도한 업무로 인해 직원들이 피곤한 상태에서 운전하지 않도록, 근무 조건을 개선하고 건강한 업무 환경을 조성하는 것이 중요하다. 필자가 근무하는 회사도 오전 오후 출퇴근 시간에 대한 유연성을 제공하거나, 충분한 휴무일 제공하는 등의 방법으로 졸음운전과 안전사고를 예방할 수 있는 조처를 하고 있다.

이처럼 졸음운전 방지를 위한 노력은 개인, 기업, 그리고 국가적인 차원에서 이루어져야 한다. 우리가 모두 이 문제의 심각성을 인식하고, 각자의 위치에서 할 수 있는 최선의 노력을 다한다면, '졸음운전'의 위험을 크게 줄일 수 있을 것이다.

또 다른 방법으로는, 졸음운전 방지를 위한 다양한 기술적 도구도 활용할 수 있다. 예를 들어, 졸음운전 경보 시스템은 운전자의 운전 패턴을 모니터링하고, 졸음운전의 가능성이 높을 때 경보를 울려 운전자에게 휴식을 취하도록 알린다. 이러한 기술적 도구는 졸음운전 방지를 위한 보조 수단으로 활용될 수 있다.

마지막으로, 졸음운전에 대한 사회적 인식을 높이는 것이 중요하다. 졸음운전의 위험성에 대한 인식을 높이기 위해 다양한 캠페인을 진행하고, 졸음운전에 대한 엄격한 법정 제재를 도입하는 등의 방법을 통해 사회 전체적으로 졸음운전을 방지하는 분위기를 조성해야 한다.

무엇보다 중요한 것은, 우리 각자가 졸음운전의 위험성을 인지하고, 자신을 위한, 또 타인을 위한 안전운전의 중요성을 항상 마음에 새기는 것이다. 눈꺼풀이 천근만근으로 무거워질 때, 그것은 단순한 피로의 신호가 아니라, 잠시 멈추어 생명을 보호해야 할 중요한 신호임을 잊지 말아야 한다.

눈 깜짝할 사이의 순간 속에서도 우리는 선택할 수 있다. 안전을 선택하고, 생명을 존중하는 선택을 하자. 그리하여, 우리가 모두 더욱 안전하고 행복한 일상을 지켜나갈 수 있기를 바란다.

보험금을 노리는 자해 공갈단을 아시나요?

매일 아침, 도시는 거대한 무대 위에 연극이 펼쳐지듯, 수많은 시내버스가 그 주인공이 되어 거리를 수놓는다. 이 도시의 맥박처럼, 시내버스는 사람들의 삶을 이어주는 중요한 연결고리다. 그러나 이러한 일상의 풍경 속에서도 어둠은 존재한다. 바로 '보험금을 노리는 자해 공갈단'이라는 이름으로 알려진, 그늘진 인물들의 이야기다.

이들은 일상의 평범함 속에 숨어, 기회를 엿보며 버스 회사나 버스 기사를 대상으로 한 사기극을 벌인다. 그들의 연극은 교묘하고 계산된 움직임으로 시작된다. 차내에서 일부러 손잡이를 잡지 않고, 조그마한 브레이크에도 과장되게 넘어지는 사람들. 그리고 버스 출입문에 끼었다며, 고통을 호소하며 보상을 바라는 이들. 이런 사건들은 단순한 우연이 아닌, 철저히 계획된 시나리오의 일부다.

배차실에서 근무하는 나는, 하루 종일 시내버스를 배차하며 이러한 사건 사고들과 마주하게 된다. 인명 사고, 접촉 사고, 손님 클레임, 분실물을 찾는 사람들까지 매일 수많은 사건이 발생한다. 그중에서도 자해 공갈단의 사기 행각은 그야말로 사회의 어두운 그림자를 드러내는 것이다.

이들의 행위는 단순히 개인의 이익을 취하는 것을 넘어서, 공동체의 신뢰를 깨트리고, 버스를 이용하는 많은 시민에게 불안과 두려움을 안겨준다. 버스 기사들은 더욱 조심스럽게 운전하게 되고, 승객들은 불필요한 걱정을 안고 여정을 시작한다. 이러한 공포의 연쇄 반응은 도시의 일상에 긴장감을 더하며, 사회 전체의 에너지를 소모하게 한다.

그러나 이 어둠 속에서도 희망은 존재한다. 이러한 사기 행각을 근절하기 위한 노력이 지속되고 있다는 사실이다. 버스 회사와 경찰은 자해 공갈단의 수법을 파악하고 대응책을 마련하기 위해 협력하고 있으며, 기술의 발달로 차내 카메라의 활용도가 높아지고 있다. 이를 통해 사건 발생 시, 정확한 상황 파악이 가능해지고, 공정한 판단을 내릴 수 있는 근거를 제공한다.

무엇보다 중요한 것은 우리 사회가 이러한 부정적인 현상에 대해 깊은 관심을 가지고, 함께 문제 해결에 나서는 것이다. 우리 사회의 구성원으로서 우리가 모두 이 문제에 귀 기울이고, 예방과 근절을 위한 구체적인 방안을 모색하는 것이 필요하다. 예를 들어, 시민들을 대상으로 한 교육 프로그램을 강화하여, 자해 공갈단의 수법을 알리고, 이에 대응하는 방법을 널리 퍼뜨리는 것이다. 또한, 사회적인 인식 개선을 위해 이 문제에 대한 지속적인 관심과 보도가 필요하다.

이러한 노력은 결국, 우리 사회가 한층 더 성숙해지는 과정이며, 이 과정에서 우리는 서로를 신뢰하고 의지하는 공동체의 가치를 재확인할 수 있다. 버스는 단순한 교통수단을 넘어, 우리가 서로를 배려하고, 함께 안전하고 행복한 여정을 만들어 가는 사회의 축소판이 될 수 있다.

그러므로 이 어둠을 이겨내고, 더 밝은 내일을 향해 나아가기 위해서는 각자의 위치에서 할 수 있는 일에 최선을 다하는 것이 중요하다. 버스 회사와 기사, 경찰, 그리고 이용객 모두가 각자의 역할을 충실히 수행하며, 서로 협력하고 소통하는 것이야말로 이 문제를 해결하는 가장 확실한 길이다.

마지막으로, 이 모든 노력이 헛되지 않도록 법적인 제도와 정책도 더욱 철저히 마련되어야 한다. 자해 공갈단에 대한 엄격한 처벌과 함께, 피해자 보호를 위한 체계적인 지원 시스템의 구축이 필요하다. 이를 통해 우리 사회는 더욱 건강하고 안전한 공동체로 나아갈 수 있을 것이다.

'보험금을 노리는 자해 공갈단'의 문제는 단순히 개인의 이익을 노리는 행위를 넘어서, 우리 사회 전체의 신뢰와 연대감을 시험하는 중요한 도전이다. 이 도전을 극복하며 우리는 더욱 단단해지고, 서로를 더 깊이 이해하게 될 것이다. 이렇게 우리가 모두 손잡고 나아가면, 결국 이 어둠을 뚫고 밝은 빛이 비치는 새로운 아침을 맞이할 수 있을 것이다.

시내버스의 그 오해와 진실

자주 걸려 온 승객의 불만 중에 몇 가지 사례를 들어본다.

1. 힘들게 뛰어와서 손을 들었는데 버스가 정지하지 않고 그냥 지나가 버렸다.

2. 버스가 정류장에 들어오지 않고 지나쳤다.

3. 횡단보도를 건너와서 신호대기 중인 버스에 태워주면 안 되나요? 등

*버스 지나간 다음에 손들기

시내버스를 이용하며 우리는 종종 작은 오해와 진실 사이에서 헷갈릴 때가 있다. 그중 하나가 바로 '버스 지나간 다음에 손들기'이다. 이 행동은 도심 속 정류장에서 흔히 목격되는 장면이지만, 그 뒤에 숨겨진 이해와 대응 방법에 대해 깊이 생각해 본 적 있는가?

- 이해: 버스 번호판 확인의 어려움

시내버스를 기다리는 우리에게 있어 버스 번호판 확인은 승차 결정의 중요한 요소이다. 하지만, 바쁜 일상에서 정류장에 도착한 직후, 버스가 바로 다가오곤 한다. 이때, 버스가 가까워져 오는 순간에야 우리는 번호판을 확인하게 된다. 버스 번호를 확인하는 그 짧은 순간, 우리는 승차 의사를 표현하고자 손을 든다. 그러나 이는 버스 기사에게 갑작스러운 정차를 요구하는 것으로 비쳐, 안전 운행에 위험을 초래할 수 있다.

- 대응: 미리 준비하고 명확히 표시하기

버스 기사들은 승객과 도로 위의 다른 이용자들의 안전을 최우선으로 고려한다. 이들은 가능한 한 정류장 내에서만 승하차를 진행하려고 노력한다. 이러한 상황에서 승객들이 할 수 있는 가장 바람직한 대응 방법은 무엇일까?

먼저, 버스가 다가오기 전에 미리 버스 번호를 확인하는 것이 중요하다. 이는 우리가 기다리는 버스가 맞는지 미리 파악함으로써, 버스 기사에게 명확한 승차 의사를 보여줄 수 있게 한다. 또한, 버스 기사가 충분히 볼 수 있도록 손을 미리 들어 승차 의사를 명확히 표시하는 것이 핵심이다. 이는 갑작스러운 상황을 방지하고, 승객과 기사 모두의 안전을 보장하는 길이다.

'버스 지나간 다음에 손들기'는 우리가 시내버스를 이용하며 종종 겪을 수 있는 오해 중 하나이다. 이에 대한 이해와 바람직한 대응 방법을 통해, 우리는 보다 안전하고 쾌적한 대중교통 이용 문화를 만들어갈 수 있다. 시내버스 이용 시, 미리 준비하고 명확하게 표시함으로써, 우리가 모두 더 나은 여정의 동반자가 될 수 있다.

*정류장이 아닌 곳에서 승차 요청

일부 승객은 특정 상황에서 정류장이 아닌 곳에서 버스에 탑승하길 원할 때가 있다. 이는 횡단보도를 건너와 신호대기 중인 버스나, 비가 오는 날, 급하게 목적지에 도달해야 하는 상황 등에서 발생할 수 있다. 이러한 요청은 편리해 보일 수 있으나, 버스 운행의 기본 원칙과 안전 규정에 위배된다. 버스 기사는 정해진 규정에 따라 오직 정류장에서만 승하차를 허용하게 되어 있으며, 이는 모든 승객의 안전과 정시성을 보장하기 위한 조치다. 또한, 이는 도로 교통법 준수를 위해 필수적인 사항이다.

 - 중요한 것은 안전과 규정 준수: 승객들은 자신의 안전과 다른 이용자들의 편의를 위해, 반드시 가장 가까운 정류장에서 버스를 기다리고, 버스 기사의 안내에 따라 행동하는 것이 중요하다. 이러한 조치는 불편해 보일 수 있으나, 결국 우리 모두의 안전과 편의를 위한 것임을 기억해야 한다.

'정류장이 아닌 곳에서 승차 요청'은 시내버스 이용 시 흔히 발생할 수 있는 오해이다. 이 상황을 이해하고 바른 대응을 통해, 우리는 보다 안전하고 쾌적한 대중교통 이용 문화를 만들어갈 수 있다. 우리가 모두 더 나은 여정의 동반자가 되기 위해,

미리 준비해서 규정을 준수하고 명확한 의사 표현을 하는 것이 중요하다.

*제시간에 도착하지 않는 버스: 인내와 이해 필요

시내버스가 항상 정확한 시간에 도착하지 않는 것은 여러 요인 때문이다.

시내버스의 정시성은 교통 체증, 악천후, 도로 사고와 같은 다양한 외부 요인에 의해 영향을 받는다. 이러한 요소들은 버스 기사의 통제를 벗어난 것으로, 불가피하게 버스의 도착 시간이 지연될 수 있다. 이와 같은 상황에 대해 승객들이 보여주어야 할 것은 불만이 아니라 상황에 대한 이해와 인내다. 현대의 많은 도시에서는 승객들이 실시간으로 버스 도착 정보를 확인할 수 있는 앱이나 웹 서비스를 제공함으로써, 이러한 불편함을 최소화하고 있다. 이를 통해 승객들은 자신의 시간을 더욱 효율적으로 관리하고, 불가피한 상황에 효과적으로 대응해야 한다.

*버스 승하차 시 문제 해결: 승객의 적극적인 역할

버스를 이용하는 과정에서 때때로 승하차와 관련된 문제가 발생할 수 있다. 예를 들어, 승객이 내리고자 하는 정류장에서 버스가 정차하지 않거나, 버스가 너무 승객들로 가득 차서 승차할 수 없는 경우가 있다. 이러한 상황에서 승객이 취할 수 있는 가장 효과적인 조치 중 하나는 적극적으로 소통하는 것이다. 버스 기사에게 내리고자 하는 정류장을 미리 알리거나, 승차할 때는 기다릴 준비가 되어 있음을 분명히 표시하는 것이 중요하다. 또한, 만약 버스가 가득 차 혼잡할 경우, 다음 버스를 기다리는 인내심도 필요하다. 대부분의 도시 교통 시스템은 정기적으로 버스를 운행하므로, 조금만 기다리면 다음 버스가 도착할 것이다.

*버스 내 안전 우선: 승객의 책임감

버스 내에서의 안전은 단순히 운전기사의 책임만이 아니라, 모든 승객의 책임이다. 버스 내에서는 반드시 손잡이를 잡을 것, 짐을 바닥에 두지 않아 통로를 막지 않기, 비상시를 대비해 비상문 사용법을 숙지하는 등의 안전 수칙을 지키는 것이 중요하다. 또한, 버스가 운행 중일 때 서 있어야 한다면 손잡이나 안전봉을 꼭 잡고 있어야 한다. 이는 급정거나 급회전 시 발생할 수 있는 사고를 예방하기 위함이다. 승객들이 이러한 기본적인 안전 수칙을 지킴으로써, 모두가 더 안전하고 쾌적한 이동 경험을 할 수 있다.

*환경 보호와 교통 체계 개선을 위한 승객의 역할

시내버스 이용은 단순히 개인의 이동 편의를 넘어 환경 보호에도 기여한다. 대중교통의 활성화는 도로 위의 개인 차량 수를 줄이고, 따라서 대기 오염과 온실가스 배출을 감소시키는 효과를 가져온다. 이러한 환경적 이점을 극대화하기 위해, 승객들은 가능한 대중교통을 적극적으로 이용하고, 자신의 이동 습관을 점검하여 환경에 미치는 영향을 줄일 수 있는 방법을 모색하는 것이 중요하다. 예를 들어, 짧은 거리는 걸어가거나 자전거를 이용하는 것이 대안이 될 수 있다. 또한, 교통 체계의 효율성과 서비스 개선을 위해, 이용 경험에 대한 피드백을 제공하는 것도 승객의 중요한 역할 중 하나이다. 이러한 피드백은 교통 관리 기관이 서비스를 개선하고, 더 나은 대중교통 환경을 조성하는 데 기여할 수 있다.

시내버스를 이용하며 발생할 수 있는 여러 오해와 진실에 대해 알아보았다. 버스 기사들은 그냥 운전만 잘하면 되는 것이 아니라, 승객의 안전을 최우선으로 생각한다. 또 다른 차량과의 흐름에도 신경을 쓴다. 또 배차간격에 따른 정시성과 차량 연료 장치 등 안전운전을 하면서도 신경 써야 할 준수사항들이 많다. 그것은 자기의 직업의식이며 안전운전은 자신의 평화와 회사의 평화 더 나아가 국가적 차원의 평화를 가져오기 때문이다. 따라서 버스 이용 시 발생할 수 있는 상황들을 이해하고, 버스 기사와의 소통, 그리고 규정 준수는 원활한 대중교통 이용을 위해 매우 중요하다. 서로에 대한 이해와 배려가 있을 때, 시내버스 이용은 더욱 편리하고 안전한 여행 방법이 될 수 있다.

교통사고를 잘 내는 사람들의 특징

　교통사고는 언제나 예기치 못한 상황에서 발생하며, 그 결과는 때때로 치명적일 수 있다. 여러 연구와 통계에 따르면, 교통사고의 주된 원인 중 하나는 바로 운전자의 집중력 부족이다. 이는 교통사고의 위험을 크게 높이며, 운전자 본인뿐만 아니라 다른 사람의 생명과 재산에도 심각한 영향을 줄 수 있다.

　교통사고가 발생하면 그 결과는 매우 심각할 수 있다. 먼저, 인명 피해는 가장 큰 우려 대상이다. 사고로 인해 운전자 또는 보행자가 중상을 입거나 사망할 수 있으며, 이러한 결과는 피해자의 가족과 친구들에게도 큰 슬픔과 고통을 가져다준다. 또한, 재산적 손실도 큰 문제다. 차량 손상, 병원비, 법적 소송 비용 등은 경제적으로 큰 부담이 될 수 있다. 사고로 인한 운전자의 정신적 스트레스와 트라우마도 간과할 수 없는 부분이다. 사고 이후 PTSD(외상 후 스트레스 장애)를 겪는 사람들도 많으며, 이는 일상생활과 정신 건강에 심각한 영향을 미친다.

운전기사의 건강 상태와 정신적 상태는 운전 중에 발생할 수 있는 사고의 위험성에 큰 영향을 미친다. 교통사고를 잘 내는 사람들의 특징을 유형별로 살펴보면 다음과 같다.

1. 집중력 부족

집중력이 부족하다는 것은 운전 중 방심하거나 딴생각을 하며, 주변 상황에 제대로 반응하지 못하는 상태를 의미한다.

전조 증상: 반복 하품, 눈의 피로, 길을 놓침, 속도 조절 저하, 반응 기간 지연 등

위험성: 사고 발생 증가, 보행자 및 타 운전자 위협, 교통법규 위반, 졸음운전 이어짐

2. 수면 부족

전조 증상: 잦은 하품, 눈가의 붓기, 눈의 충혈, 피로감

위험성: 졸음운전의 주요 원인으로 반응 시간이 느려지고, 집중력과 판단력이 저하된다. 이는 특히 고속도로 운전이나 장거리 운전에서 위험을 증가시킨다.

3. 스트레스 및 정신적 긴장

전조 증상: 이마에 주름이 많아짐, 입술을 깨물거나 손톱을 물어뜯는 행동, 긴장으로 인한 목소리의 떨림

위험성: 부부 갈등, 소송 등 정신적 스트레스 지수가 높은 상태는 운전자의 주의 분산을 초래하고 교통 상황에 대한 반응 속

도를 떨어뜨린다. 또한 과민 반응을 일으켜 다른 운전자와의 갈등을 유발할 수 있다.

4. 개인적 문제

전조 증상: 표정이 어둡고 우울해 보임, 대화 중에도 멍하게 있는 경우

위험성: 개인적인 문제로 인한 정신적 부담은 주의력을 분산시키고 운전 중에 필요한 순발력과 판단력을 저하할 수 있다.

5. 건강 문제

전조 증상: 창백한 얼굴, 식은땀, 불규칙한 호흡

위험성: 교통사고 후유증으로 인한 통증, 관절 운동 제한, 두통, 어지럼증 등의 신체적 증상은 운전 능력을 저하할 수 있다. 일시적 또는 만성적인 건강 문제는 운전 중 갑작스러운 신체적 불편함이나 의식 상실을 초래할 수 있으며, 이는 직접적인 사고 위험으로 이어진다.

대응 방안

전조 증상 무시: 교통사고의 전조 증상이나 경고 징후를 무시하는 경우 대형 사고로 이어질 수 있다. 즉, 작은 사고나 교통법규 위반 등 경고 징후를 무시하면 대형 사고로 이어질 수 있다.

정기적인 건강 검진: 운전기사들의 건강 상태를 주기적으로 확인한다.

스트레스 관리 프로그램: 스트레스 관리 방법을 교육하고, 운전기사들이 정신적 건강을 유지할 수 있도록 지원한다.

충분한 휴식 보장: 운전기사들이 충분한 휴식을 취할 수 있도록 근무 스케줄을 조정한다.

심리적 지원: 개인적인 문제로 인해 어려움을 겪고 있는 운전기사들을 위한 심리적 상담 서비스를 제공한다.

운전기사들의 건강과 정신 상태에 주의를 기울이는 것은 안전한 운전 환경을 조성하는 데 필수적이다.

이러한 문제를 예방하기 위해 운전자는 항상 주의를 기울여야 한다. 운전 중에는 휴대전화 사용을 삼가고, 주변 상황에 집중해야 한다. 또한, 운전자는 충분히 자고, 운전 중 피로감을 느낀다면 적절한 휴식을 취하는 것이 중요하다. 정부와 사회도 교육과 캠페인을 통해 운전자들에게 집중력의 중요성을 계속해서 알려야 한다.

결론적으로, 교통사고는 대부분 예방할 수 있는 사고다. 운전자가 주의력을 유지하고, 주변 상황에 대해 끊임없이 인식하며, 안전운전 수칙을 준수한다면, 교통사고의 위험을 크게 줄일 수 있다. 사회 전체가 이 문제에 대해 인식을 공유하고, 개인과 공동체 모두가 안전한 도로 환경 조성을 위해 노력해야 한다. 우리 모두의 책임감 있는 행동이 결국은 더 안전한 사회를 만들어 가는 데 기여할 것이다.

술 한잔 만 마셔도 운전 못 한다
- 최첨단 음주 측정시스템

시내버스 운전기사들의 음주 측정은 대중교통의 안전을 담보하는 중요한 절차 중 하나이다. 이는 운전기사뿐만 아니라 이용자들에게도 큰 안심을 주며, 대중교통 시스템 전반의 신뢰도를 높이는 데 기여한다.

음주 측정의 중요성

음주 운전은 교통사고의 주요 원인 중 하나로, 운전자의 판단력과 반응 속도를 현저히 떨어뜨린다. 대중교통 운전기사의 경우, 수많은 승객의 생명과 안전을 책임지는 만큼 음주 운전의 위험성은 더욱 크다. 따라서 서울시나 버스 운행회사는 운행 전 음주 측정은 승객들이 안전하게 목적지에 도달할 수 있도록 보장하는 필수적인 절차이다.

음주 측정 절차

출근 시 측정: 운전기사들은 출근 시점에 음주 측정을 의무적으로 받게 된다. 대부분의 회사에서는 출근과 동시에 이루어지는 음주 측정을 통해 그날의 승무 가능 여부를 판단한다.

랜덤 측정: 일부 회사에서는 불시에 음주 측정을 실시하여 운전기사들이 항상 책임감을 가지고 업무에 임하도록 하고 있다.

측정 기기: 음주 측정에는 인터넷과 연결된 전자식 알코올 검출기가 사용된다. 이 기기는 운전기사가 불어넣은 호흡에서 알코올 농도(BAC)를 측정하여, 운전 가능 알코올 농도를 초과하는지 여부를 확인한다. 이 시스템은 각 부서로 연계되어 어느 곳에나 볼 수 있게 되어 있다.

법적 근거

각국의 도로교통법은 운전기사들의 음주 운전을 엄격히 금지하고 있으며, 음주 측정을 통한 이의 준수 여부 확인을 의무화하고 있다. 우리나라는 현행법에서 음주 운전은 교통사고처리특례법에 규정된 12대 중과실의 하나로 인정한다. 따라서 교통사고처리 특례법상 특별 조항이 적용되지 않는다. 음주 운전이 적발될 경우, 혈중알코올농도 0.03% 이상 0.08% 미만이면 1년 이하의 징역이나 500만 원 이하의 벌금, 혈중알코올농도 0.08% 이상 0.2% 미만인 사람은 1년 이상 2년 이하의 징역이나 500만 원 이상 1천만 원 이하의 벌금을 물린다. 또 혈중알코올농도

0.2%를 넘게 되면 2년 이상 5년 이하의 징역이나 1천만 원 이상 2천만 원 이하의 벌금에 처한다.

필자 근무하는 회사를 비롯하여 대부분 버스 운영사는 0.01% 즉, 측정기에 빨간불만 들어와도 해당 운전기사는 승무에서 배제되며, 경우에 따라 법적 처벌을 받을 수도 있다. 그러나 음주측정기가 고장이거나 오류가 발생할 경우는 비대면 측정기를 사용할 수 있다. 측정 대상자가 가글을 했다거나 발효식품 섭취 또는 박카스를 마셔도 음주 측정에 적발될 수 있다. 이런 경우는 30분 후 다시 측정할 수 있고 해당 근무자가 판단할 수 있다.

음주 측정의 효과

음주 측정 의무화는 운전 기사들에게 책임감 있는 운전 문화를 장려하고, 대중교통을 이용하는 승객들에게는 안전한 여행 환경을 제공한다. 또한, 이러한 제도는 대중교통 시스템 전반의 안전 관리 수준을 향상하는 데 중요한 역할을 한다.

음주 측정을 통한 이러한 노력은 버스를 이용하는 모든 이용자가 더 안전하고 안심할 수 있는 대중교통 환경을 만드는 데 기여하며, 이는 곧 사회 전반의 안전 문화 수준을 높이는 긍정적인 효과를 가져온다.

CH 3
시내버스에 얽힌 이야기들

헌 신발 한 짝, 그 비밀

그날 아침 세상은 어제와 다름없는 평온함을 유지하며 맞이했다. 나의 일상이 누군가에게는 반복되는 루틴일지 모르지만, 나에게도 맡겨진 중요한 업무가 담긴 시간이다. 배차 간격을 조율하고 기사들의 음주 측정을 진행한다. 각자의 노선으로 안전하게 운행시키는 것. 나의 임무이며 일상이다. 어느새 동이 터오고 세상이 환해지면, 그 평범하게 흘러가는 하루 속에서도 때때로 예상치 못한 일이 벌어지곤 한다. 그날, 나는 그런 특별한 사연 하나를 기억하고 있다.

전화 한 통이 울렸다. "여보세요? 제가 0000 버스를 타고 00에 내렸는데요. 집에 와서 보니 신발 한 짝이 없어요. 혹시 헌 신발 한 짝을 찾을 수 있을까요?" 목소리는 다급했고, 간절함이 묻어났다. 아주 특별한 신발이니 꼭 찾아달라는 말을 여러 번 강조 했다. 이야기의 주인공은 한 중년 여성이었다. 그녀가 말하기를 시장에서 막 구입한 새 신발로 바꿔 신었다. 그리고 헌 신발은 쇼핑백에 담아 어깨 가방에 메고 시내버스에 올라탔다. 그녀는 새 신발이 마음에 들어 즐거움이 가득 차 있었다. 그렇지만, 그 기쁨은 오래가지 못했다. 집에 도착하고 다른 일을 먼저 보고 한참 후에 쇼핑백을 정리하다 보니 당연히 있어야 할 헌 신발이 없어진 것이다. 그것도 한쪽 신발이….

그녀는 헌 신발 한쪽을 찾기로 했단다. 나는 의아해했다. 왜 헌 신발 한쪽을 찾는 것일까?

운전 중인 모든 기사는 전화 통화를 금지한다. (물론 긴급 통화는 가능하다) 분실물이 들어오기만 기다리고 있었다. 그러나 신발은 들어오지 않았다. 그렇게 시간이 흘러 3일 후 나는 또 그 자리에 앉아 있었다. 우연히 분실물 접수 대장을 훑어보았다. '신발 한 짝'이라고 기록되어 있었다. 그러나 신발 한 짝은 보관 장소에 없었다. 나는 신발을 찾기 시작했다. 수소문 끝에 3일 동안 주인이 나타나지 않아 헌 신발 한 짝이라 버렸다고 했다. 이미 쓰레기통을 떠나 쓰레기 집합소로 갔다. 나는 쓰레기 모여 있는 장소로 가보았다. 아직 수거해 가지 않은 커다란 검정 쓰레기봉투가 수두룩했다. '못 찾겠구나.' 하고 돌아서는데 쓰레기봉투 하나가 풀어져 있었다. 그리고 거기 맨 위에 신발 하나가 더미 속에 박혀있었다.

'이건가?'

기적 같은 우연이었다. 작은 예쁜 여자 신발은 누군가 찾아오기를 기다리는 듯, 고개를 오뚝 들고 있었다. 왜 이 신발 한 짝이 그렇게 중요한 것일까? 그녀는 왜 이 작은 신발 한 짝을 찾고 있는 것일까? 나는 그 이유가 몹시 궁금했다. 몇 번의 시도 끝에 그녀와 통화가 되었다. 처음에 전화번호가 어떤 건지 알지 못했다. "하얀색과 옅은 파란색이 들어 있는 신발 맞아요?" "네 맞아요!" 그녀는 울먹이며 연신 고맙다고 했다. 통화 중에 회사 영업소 근처에 살고 있다는 것을 알게 되었다. 다음날 이른 아침에 그녀가 신발을 찾으러 왔다. 나는 영업소 사무실 앞에서 헌 신발이 든 비닐봉지를 건네주었다. 그녀의 얼굴에는 믿을 수 없다는 듯한 기쁨과 안도의 빛이 번져있었다.

신발을 건네받은 그녀는 작은 봉투를 주려고 했다. 나는 필요 없다며 손사래를 치며 거절했다. 그러자 그녀가 말했다. "남편이 이 신발을 마지막으로 저에게 주고 하늘나라에 갔어요." 그리고 봉투를 호주머니에 찔러 주고 도망치듯 가버렸다. 나는 얼떨결에 봉투를 받고 말았다. 그녀가 가고 난 후 나는 한참을 생각에 잠겼다. 그리고 궁금증이 풀렸다. 아 헌 신발 한 짝의 비밀은 먼저 간 남편의 특별한 선물이었다.

그녀의 이야기를 더 이상 들을 수는 없었지만, 그녀는 그 신발을 신고 시장에도 맛있는 음식점에도 남편과 함께라는 생각으로 추억의 장소를 갔을 것이다. 그 사랑했던 사람과 함께 말이다. 그래서 그 신발 한 짝은 단순한 물건이 아니라, 그녀에게 있어 소중한 사람의 사랑과 추억이 담긴 보물임을 이해하게 되었다. 그녀는 그 신발을 통해 남편과 가족의 추억을 되새기며, 남편이 남긴 사랑과 격려를 느낄 수 있었을 것이다. 어쩐지 그 신발의

옅은 파란 색깔이 물망초 색을 연상한다. 물망초는 '나를 잊지 말아요'라는 꽃말을 지녔다. 그녀의 남편이 말하는 것 같은 느낌이다. 참 좋은 남편 배려심이 많은 남편이었을 것이라는 생각이 든다. 그녀에게 그 신발 한 짝은 단순한 용도를 넘어서 가족과 연결고리이자, 따뜻한 추억을 담은 상징적인 존재였던 것 같다.

이 사연을 통해 나는 작고 하찮은 것에서도 큰 의미를 찾을 수 있다는 것을 배웠다. 헌 신발 한 짝에 얽힌 사연은 소중한 것들은 항상 눈에 보이는 것만이 아니라는 교훈을 주었다. 또한, 우리의 일상 속 작은 친절과 배려가 남에게는 큰 기쁨과 희망이 될 수 있다는 것을 다시 한번 깨닫게 해준다. 이 작은 지난 일은 단순히 신발 한 짝을 찾아주는 일이 아니라, 그 사람에게는 잊혀진 추억을 되찾아 주고, 삶에 특별한 의미를 부여해 주는 큰일이라는 것.

그녀가 주고 간 봉투에는 만 원짜리 상품권 한 장이 들어 있었다. 받지 않을 수 없는 그녀의 진심이 느껴졌다. 나는 지금도 그 상품권이 들어있는 봉투를 보관하고 있다. 봉투에는 이렇게 적혀 있다.

"감사드립니다. 비싼 신발은 아니지만, 의미 있는 신발이라 찾게 돼서 기뻐요! 적은 거지만 사례합니다."

손님이 기분까지 배려하는 송재일 기사

도시의 속살을 이루는 것은 그곳에 사는 사람들이다. 그들의 이야기, 그들의 삶이 도시를 움직이게 만든다. 그러한 도시의 한 편을 이루는 이야기 중 우리 회사 송재일 기사의 미담을 공유하고자 한다. 이는 한 버스 기사의 작은 배려가 어떻게 큰 변화를 끌어냈는지를 보여주는 감동적인 이야기이다.

"지난 17일, 서울 광진구와 서초구를 오가는 4212번 시내버스 안입니다.

월요일 아침 출근길, 하얀색 재킷을 입은 여성이 타더니 요금 결제기에 카드를 갖다 댑니다.

결제가 되지 않자 연신 주머니를 뒤지며 다른 교통카드를 찾습니다.

하지만 한참을 뒤져도 교통카드를 찾지 못하자 당황해하는 모습인데, 버스 기사는 "괜찮다, 일단 타시라."는 말을 건넸습니다.

기사의 배려에 "감사합니다."란 말과 버스에 올라탄 여성.

내리면서도 감사하다는 말을 잊지 않았습니다."

TV 방송에서 기자가 하는 멘트 내용이다.

"출근 시간에 사람들이 많이 타거든요. 그 아가씨가 카드가 없다는 거예요. 안 갖고 왔다는 거예요. 그래서 카드 없으면…. 그러면 그냥 타시라고 했죠. 출근하는데 기분 나쁘면 서로 안 좋잖아요."

"감사합니다. 감사합니다. 하더라고요. 내리실 때…. 네. 아 됐다고요. 또 보자고요. 그러고 말았는데."

그는 그 여성이 출근길에 당황하는 것을 보고, 그녀의 하루가 좋지 않게 시작되는 것을 막고자 했다. 그의 이런 배려는 그 여성에게 큰 안도감을 주었고, 그녀는 "감사합니다."라는 말로 그의 친절함에 대한 감사의 마음을 표현했다.

그런데 이틀 뒤 놀라운 일이 벌어졌다. 우리 회사로 익명의 택배가 도착한 것이다.

"배려에 감사드립니다."라는 쪽지와 함께 음료수 큰 상자 10개가 들어있는 택배였다.

"버스요금은 회사 전용 계좌로 입금됐고요. 익명으로 보냈더라고요. 그거 선물을요. 자기 전화번호도 안 남겨놓고 제 이름하고 회사 이름으로 왔더라고요. 난 그렇게 음료수를 10박스씩이나, 10박스면 개수로 300개요. 우리 전 조합원이 다 마실 수 있는 건데 하여튼 감사하죠. 뭐…."

송재일 기사는 뜻밖의 선물에 깜짝 놀랐다며 자신의 작은 행동에 비해 너무 큰 선물을 받은 것 같아 오히려 미안하다고 말했다.

"미안하죠. 제가 안타까워서 한 건데 그렇게 버스비 1,300원짜리를 그걸 갖다가 수십 배 들여서 그렇게 한두 박스만 해도 되는데…. 그냥 10박스씩이나 해갖고 사람 부담 주게, 받은 사람이 더 부담스러워요."

버스업체인 우신운수도 "선물까지 준 승객에게 저희가 더 감사하다."고 밝혔다.

그러면서 "요금을 현장에서 지불하지 못할 경우 고객의 입장을 고려해 계좌번호가 적힌 명함을 건네도록 하고 있다."고 밝혔다.

이는 그저 한 버스 기사의 일탈적인 행동일까? 아니면 그보다 더 큰 의미를 가진 행동일까? 송 기사의 이러한 행동은 그의 직업에 대한 깊은 이해와 사명감을 보여주는 것이라 생각한다. 혹자는 그때 정상적인 버스요금을 받지 않았기에 문제가 있다는 의견도 있다. 그러나 그는 자신의 직업이 단순히 버스를 운전하는 것이 아니라, 승객들이 안전하고 편안하게 목적지에 도착할 수 있게 하는 승객을 먼저 생각하는 배려심이 베어져 있었다. 그는 승객이 아침부터 기분 나쁘면 하루 종일 일이 잘 풀리지 않는다는 사실을 알고 있었다. 근본적으로 국가와 회사가 지향하는 서비스 정신이 몸에 배 있었다. 그의 이런 친절은 그가 모범 기사로 인정받게 된 계기가 되었다.

이 이야기는 우리 모두에게 중요한 교훈을 준다. 송재일 기사의 말 한마디가 그 여성의 하루를 바꾸었고, 그 여성의 감사 표현은 다른 기사들에게도 따뜻한 감동을 전달하였다. 이는 우리가 모두 일상생활에서 서로에게 작은 배려를 베풀면 어떤 변화를 만들어낼 수 있는지를 보여주는 좋은 사례다.

또한, 이 이야기는 우리 사회에서 필요한 가치를 재조명하는 계기가 된다. 그것은 배려와 이해, 그리고 서로를 위한 애정이다. 이런 가치는 우리 사회를 더욱 풍요롭고 따뜻한 곳으로 만들어준다. 버스 기사의 이런 행동은 이런 가치를 실천하는 모범적인 사례가 되어, 우리 모두에게 그러한 가치를 실천하도록 독려하고 있다.

결국, 이 이야기는 작은 배려가 어떻게 큰 변화를 만들어낼 수 있는지를 보여주는 이야기이다. 그리고 이런 변화는 우리가 모두 나날이 실천하는 작은 배려에서 시작된다. 이런 배려가 모여 큰 변화를 만들어내고, 이런 변화가 우리 사회를 더욱 풍요롭고 따뜻한 곳으로 만들어갈 것이다. 그리고 이런 변화의 시작은 바로 우리 모두의 마음속에서 시작된다.

날마다 신나게 운전하는 신OO 기사

배차실에서 근무하며 많은 버스 기사를 만나 왔다. 세상에 버스 기사만큼 사연이 많은 사람이 또 있을까? 버스 기사들은 이세상의 모든 생사고락을 가슴에 안고 사는 사람들 같다. 우리회사에는 이들 중에서도 특히 신OO 기사는 매우 특별한 존재로다가왔다. 이름도 재미있는 그는 한때 서울에서 큰 관광버스 회사의 사장으로 성공적인 삶을 살았다. 남들이 부러워하는 위치에 있었지만, 여러 가지 이유로 그의 회사는 경영난에 시달리다결국 부도를 맞게 된다. 그 후 그는 회사를 정리하고 다시 버스기사로 취업해서 현재 우리 회사에서 시내버스를 운전하고 있다. 그의 인생 이야기는 많은 사람에게 깊은 인상을 남긴다. 그를 취재했다.

신OO…. 이름도 특이하다. 그가 출퇴근용으로 몰고 다니는 차량도 특별하다. 그는 25인승 버스를 출퇴근용으로 사용하고 있다. 처음부터 무엇인가 강하게 밀려오는 궁금증이 있었다. 어느 날 저녁 그와 차를 마시면서 그의 사연을 듣게 되었고, 그의 삶에 대해 깊이 이해하게 되었다.

불과 10여 년 전, 그는 서울에서 관광버스 200여 대를 운영하는 성공적인 사업가였다. 그러나 그는 다시 기사로 돌아와 일상적인 삶을 살아가고 있다. 회사가 망했으니 당연히 힘든 생활을 해야 하는 절박감이 있었을 것이다. 그래서 더욱 궁금했다. 그는 모자를 눌러쓴 채 녹차로 입을 축이며 말을 이어갔다. 그는 그때의 상황을 자세하게 설명했다. 그의 말을 한마디로 요약하면 '회사 운영이 정부 시책과 맞지 않았다'는 말이다. 여기서는 이 말로 가름한다. 이 책에서 다 말할 수가 없음을 양해 바란다. 전부는 아닐지라도 그의 말이 신빙성이 있다는 생각이다. 그 이유는 그때 그의 회사에서 회계 담당 간부로 근무했던 사람이 현재 우리 회사 기사로 근무하고 있기 때문에 증명이 되었다.

또 그는 25인승 미니버스를 운전하는 이유는 더 감동적이다. 그는 딸과 아들을 두고 있는데, 딸은 이미 대기업 며느리로 시집을 잘 갔단다. 그러니 딸아이는 걱정이 없었다. 그러나 몸이 불편한 전신마비 아들이 있었다. 그는 아들의 손발이 되기 위해 미니버스를 구입했다. 미니버스는 아들이 편리하게 사용할 수 있도록 모두 개조했다. 그리고 그는 쉬는 날이면 아들과 함께 전국을 여행한다. 이러한 그의 행동은 아버지의 무한한 사랑을 보여주는 것이다. 필자도 미니버스를 타보고 감탄했다. 오로지 아들을 위한 아빠의 사랑에 감동하지 않을 수 없었다. 그의 아들에 대한 사랑에 눈물이 났다.

우리는 종종 사회적 지위나 성공을 통해 삶의 가치를 평가하곤 한다. 그러나 신OO 기사의 이야기를 통해 나는 다른 시각을 얻었다. 그는 사회적 지위를 잃었지만, 그런데도 그는 여전히 자신의 삶을 즐기고 있었다. 그는 시내버스를 운전하면서 승객들과의 소통을 즐기고, 그들에게 편안한 여행을 제공하려 노력했다. 그는 자기 일에 만족감을 느끼고, 그 일을 통해 다른 사람들에게 긍정적인 영향을 주려고 노력했다.

그런 그의 아픔을 내색하지 않는 떳떳한 모습을 보며, 나는 삶의 가치에 대해 다시 생각해 보았다. 삶의 가치는 반드시 사회적 지위나 성공에서만 찾을 수 있는 것이 아니라는 것을 새삼 깨닫게 한다. 오히려 삶의 가치는 자신이 하는 일에 만족감을 느끼고, 그 일을 통해 다른 사람들에게 긍정적인 영향을 줄 수 있는 능력에서 찾을 수 있다. 그리고 그런 삶의 가치를 찾기 위해서는 때로는 자신의 위치를 낮추고, 일상적인 삶을 경험해 보는 것도 필요할 수 있다.

신OO 기사의 이야기를 통해 우리는 삶의 가치가 어디에 있는지 깊이 생각해 보게 된다. 그는 자신의 과거 성공과 현재의 직업 사이에서 큰 간극을 경험했음에도 불구하고, 자신이 하는 일에서 진정한 만족과 행복을 찾았다. 이는 사회가 정의하는 성공의 척도가 반드시 개인의 행복과 일치하지 않을 수 있음을 보여준다.

그의 이야기에서 배울 수 있는 중요한 교훈 중 하나는, 삶의 진정한 가치는 우리가 직면하는 어려움을 어떻게 극복하고, 그 과정에서 어떤 태도를 취하는지에 달려 있다는 것이다. 신OO 기사는 어려움에 직면했을 때 포기하지 않고 새로운 시작을 선택했다. 그리고 그는 자신의 삶을 통해 다른 사람들에게 긍정적인 영향을 미치고자 했다. 그는 승객들과의 소통을 통해 그들의 여정을 더 편안하고 즐거운 것으로 만들려고 노력했다. 이는 사소해 보일 수 있지만, 많은 사람에게 큰 의미를 가진다.

또한, 그는 가족에 대한 깊은 사랑을 보여준다. 그는 자기 아들을 위해 특별히 미니버스를 개조하는 등, 가족을 위해 할 수 있는 모든 것을 했다. 이러한 행동은 자신뿐만 아니라 가족에게도 삶의 진정한 가치를 찾도록 이끈다. 그의 사례를 통해 우리는 가족과의 관계가 얼마나 중요한지, 그리고 그 속에서 어떻게 삶의 의미를 찾을 수 있는지를 배울 수 있다.

이처럼 신OO 기사의 이야기는 우리에게 많은 것을 가르친다. 그는 자기 경험을 통해 삶의 가장 중요한 가치는 자신과 타인에게 긍정적인 영향을 미치는 것, 그리고 어려움 속에서도 희망을 잃지 않고 앞으로 나아가는 용기라는 것을 보여준다. 우리는 그의 이야기를 통해 자신의 삶을 돌아보고, 진정으로 중요한 것이 무엇인지 생각해 볼 수 있다. 그의 삶은 우리 모두에게 삶의 진정한 가치를 찾아가는 방향을 제시하며, 그 과정에서 우리 자신을 더 깊이 이해하고 성장할 수 있는 기회를 제공한다. 신OO 기사의 앞날에 행복만 있어라.

정장 멋쟁이 강문복 기사

정장을 제대로 소화하는 사람을 보면, 어딘가 단정하고 비즈니스적인 인상을 받기 마련이다. 그러나 이러한 정장 차림의 사람 중에는 그저 겉모양만 그럴싸한 경우도 있다. 하지만 그에게 정장은 겉모습을 넘어서 그의 정신과 태도까지 변화시킨 듯하다. 20여 년 동안 어김없이 정장과 넥타이를 차려입고 운전대를 잡고 있는 그는, 마치 양복이라는 옷이 강문복의 삶 자체를 대변하는 듯하다.

그는 단순히 외형적으로만 정장을 고집하는 것이 아니다. 그의 정장 차림은 그의 일 처리 방식과 태도에서도 일관성을 보여준다. 매일 아침 일찍 출근해 동료 기사들보다 먼저 일터에 도착하는 그는, 늘 자신의 업무만 아니라 동료들의 안부와 편의도 먼저 챙긴다. 이런 그의 성품은 그가 운전기사로서뿐만 아니라, 한 사회 구성원으로서도 타의 모범을 보여주고 있음을 말해준다.

그의 일화는 수없이 많다. 그중 특별히 기억나는 순간을 우리에게 감동을 선사한다. 평소처럼 승객에게 반갑게 인사를 건넨 어느 날, 한 어르신 승객께서 감사의 표시로 음료수를 사 먹으라며 현금 만 원을 운전석에 두고 내리셨다. 소위 팁이다. 강 기사는 절대 받으면 안 된다며 버스를 세워놓고 달려가 다시 돌려준 경우도 있었다. 평소대로 대하는 것뿐인데, 승객들로부터 이처럼 고마움의 표시로 돌아온 것이다. 또 다른 경우도 있었다. 시장에서 장을 보고 집으로 가시는 한 아주머니가 참기름 한 병을 선물로 주고 간 적도 있었다. 이처럼 손님들은 작은 배려에도 감동하고 고마움을 되돌려주었다.

그의 이러한 경험들은 그가 펼치는 작은 친절이 어떻게 주변 사람들에게 긍정적인 영향을 미치고, 그들로부터 따뜻한 마음을 돌려받을 수 있는지를 잘 보여준다. 이 일화들은 우리에게 친절이란 때로는 작은 행동이지만, 그 파급 효과는 매우 크다는 것을 일깨워 준다. 따라서 우리도 일상에서 작은 친절을 실천함으로써, 주변 사람들과 긍정적인 관계를 만들어 가는 데 기여할 수 있다.

그의 이타적인 성격은 언젠가 시내버스의 체증으로 인해 식사를 거르고 운행에 나서야 했던 동료들이 배고픔에 시달릴 때 더욱 뚜렷이 드러났다. 그는 그 상황을 안타깝게 여기며 자신의 주머니에서 김밥값을 내어 동료들에게 따뜻한 한 끼를 제공했다. 이는 단순히 음식을 나눈 일이 아니라, 그가 직업에 대해 가진 열정과 책임감, 그리고 동료애를 여실히 보여준 행동이었다.

그의 운전 스타일은 안전하고 효율적이며, 승객에 대한 그의 태도는 늘 친절하고 따뜻하다. 그는 교통 규칙에 대한 철저한 이해와 함께, 고객 서비스에 대한 깊은 인식을 가지고 일한다. 승객의 안전을 최우선으로 생각하며, 언제나 그들에게 편안함과 환영의 미소를 선사한다. 그뿐만 아니라, 그는 자신이 속한 노선의 버스 기사들과 전반적인 이해를 바탕으로 서비스 개선과 효율성 향상에도 적극적이다. 그는 승객 만족도를 높이기 위한 방안을 항상 고민하며, 이를 통해 자신의 전문성을 더욱 강화하고자 한다.

정장 한 벌이 사람을 정장 인간으로 만들 수 있다는 사실을 강문복 기사는 몸소 보여주고 있다. 그의 정장이 단지 외형적인 멋을 위한 것이 아니라, 책임감, 열정, 동료애와 같은 그의 내면적 가치를 대변하는 것처럼 말이다. 그의 이야기는 단순히 한 운전기사의 일상을 넘어, 우리가 모두 본받고 싶은 삶의 태도를 제시한다.

우리가 강문복 기사의 이야기를 통해 배울 수 있는 점은 여러 가지가 있다. 그중 몇 가지를 꼽자면 다음과 같다.

1. 책임감과 전문성: 그는 자신의 직업에 대한 깊은 책임감을 가지고 있다. 매일 같은 열정으로 업무를 수행하며, 승객의 안전과 만족을 최우선으로 생각한다. 우리도 자신의 업무에 대해 전문성을 갖추고 책임감을 가지는 자세가 중요하다는 것을 배울 수 있다.

2. 사랑과 연대감: 그는 동료들과의 연대감을 중요시한다. 교통체증으로 인해 식사를 거를 수밖에 없는 동료들을 위해 직접 김밥을 준비하는 등, 작은 행동으로도 주변 사람들에게 사랑과 배려를 실천한다. 우리 사회 곳곳에서 이러한 사랑과 연대감이 필요하다는 점을 깨닫게 된다.

3. 신앙을 통한 긍정적 생활: 그는 신앙을 통해 모든 일에 긍정적인 태도를 유지한다. 이러한 긍정적인 태도는 어려움 속에서도 희망을 잃지 않고, 주어진 모든 상황을 최선으로 대처하는 데 큰 도움이 된다. 우리도 신앙이나 개인적인 신념을 통해 긍정의 힘을 발휘해 볼 수 있다.

4. 세심함과 헌신: 작은 디테일에도 주의를 기울이고, 조금 더 나은 서비스를 제공하기 위해 노력하는 그의 세심함과 헌신은 많은 이에게 감동을 준다. 우리 역시 일상생활이나 직장에서 세심함과 헌신을 통해 더 나은 결과를 얻을 수 있다.

5. 후배들을 사랑으로 이끌기: 직업에 대한 자부심과 책임감을 가지고 일하면서 동시에 후배들과 동료들에게 사랑과 배려를 아끼지 않는 모습을 보여준다. 이는 우리가 직장뿐만 아니라 일상생활에서도 후배나 동료들에게 긍정적인 영향력을 행사하고 그들을 사랑과 배려의 태도로 이끌어주어야 한다는 것을 가르쳐 준다.

6. 회사의 경영 방침 잘 따르기: 그는 회사의 경영 방침 및 지침을 철저히 준수하며, 배차 운행의 효율성과 서비스 품질 향상에 기여하는 모습을 보였다. 이는 직원으로서 회사의 경영 방침을 잘 이해하고 따르는 것이 어떻게 전체 조직의 성과와 팀워크에 긍정적인 영향을 미칠 수 있는지 보여준다.

7. 상세함과 성실함: 그는 매일 정장을 착용하고 미소를 잃지 않으며, 자신의 업무를 세심하게 처리하는 모습으로 성실함을 드러냈다. 우리 역시 각자의 직무에 성실하고 상세함을 가지고 임한다면, 보다 나은 서비스와 결과를 끌어낼 수 있음을 배울 수 있다.

8. 개인의 자세와 태도: 그의 친절하고 긍정적인 태도는 승객들에게 쾌적한 여행 경험을 제공한다. 이는 개인의 태도와 자세가 다른 사람들에게 어떤 긍정적인 영향을 줄 수 있는지를 시사한다. 우리 모두 자신의 자세와 태도를 점검하고, 상황에 따라 긍정적인 방향으로 조정함으로써 주변에 긍정적인 변화를 일으킬 수 있다.

9. 상냥한 미소: 그의 상냥한 미소와 태도는 승객들에게 즐거운 여정을 선사한다. 일상에서 상냥한 미소와 태도를 유지하고, 상대방에게 친절하게 대하는 것이 얼마나 중요한지를 보여준다.

10. 타인에 대한 사랑과 배려: 독실한 기독교 집사로서 승객을 먼저 생각하는 마음을 가지고 있다. 이러한 태도는 그가 승객의 안전과 편안함을 최우선으로 삼고 있음을 보여준다. 우리가 모두 일상에서 타인에 대한 사랑과 배려를 실천한다면 사회 전체가 더욱 따뜻하고 긍정적으로 변할 것이다.

강 기사의 사례는 개인의 성실함과 긍정적인 태도, 사랑과 배려, 팀과 회사에 대한 충성심이 어떻게 자신뿐만 아니라 주변 사람들에게도 긍정적인 영향을 미칠 수 있는지를 잘 보여주는 사례다.

그의 이야기는 단순히 일화를 넘어서, 우리 자신의 태도와 삶에 대해 다시 한번 생각해 보게 한다. 그의 태도에서 배울 점들을 실생활에 적용한다면, 우리도 주변 사람들에게 긍정적인 영향을 미칠 수 있을 것이다.

장밋빛 스카프에 얽힌 김상희 기사

도시는 점심시간의 분주함으로 가득 차 있었다. 사람들은 저마다의 삶을 살아가기 위해 바삐 움직인다. 시내버스를 타고 가는 길은 매일 같은 코스지만, 그 속에서 펼쳐지는 이야기는 언제나 새롭다. 이번에 소개할 이야기는 우리 회사에서 있었던 장밋빛 스카프에 얽힌 특별한 이야기이다.

어느 날 필자가 근무하는 배차실로 한 통의 전화가 걸려 왔다.

"안녕하세요? 어제 43**버스에서 스카프를 분실한 사람인데요. 스카프를 찾을 수 있을까요?"

전화의 주인공은 스카프를 분실한 중년의 여자 승객이었다. 그녀는 그 스카프가 단순한 물건이 아니라, 사랑하는 사람이 외국에서 사 온 비싼 명품을 선물 받은 것이라고 말했다. 전화로 전해지는 그녀의 목소리에서는 스카프를 찾겠다는 강한 의지가 느껴졌다. 그 스카프에는 그녀에게 개인적인 큰 의미가 담겨 있었던 것 같았다.

"찾아보겠다."고 말하고 전화를 끊은 후, 두 시간이 지나자, 같은 목소리로 또 한 번의 전화가 왔다. 그녀는 스카프를 꼭 찾고 싶어 경찰서에 분실 신고까지 했다고 했다.

이렇게 신고가 접수되어 황급히 승객이 하차한 시간대를 비교하여 버스 운행기록 장치를 분석했다. 운행 기사를 찾아냈다. 김 상희 기사였다. 그리고 김 기사에게 자초지종을 물었다. 그날도 변함없이 김 기사는 시내버스 오전반 운행을 마쳤다. 김 기사는 항상 그랬듯이 다음 기사에게 근무 인계를 위해 차 내부를 정리했다. 그러던 중, 빛바랜 색상의 작은 스카프 한 조각이 눈에 띄었다. 중간 좌석 바닥 한쪽 구석에 놓여 있는 그 스카프는 마치 오랜 시간을 거슬러 온 듯, 낡고 헤어져 실밥이 풀려있는 상태였다.

김 기사는 스카프를 자세히 살펴보니, 누가 일부러 버리고 간 물건이란 생각이 들었단다. 낡고 헤진 부분이 있어 주인이 찾으러 오지 않을 것이라는 생각이 들었다고 했다. 결국 그는 스카프를 쓰레기통에 버리고 말았다. 그것이 얼마나 큰 실수였는지, 그때는 알지 못했다. 그때의 김 기사는 어쩌면 그 스카프 뒤에 숨겨진 사연이나 가치를 전혀 짐작하지 못했던 것 같다. 김 기사는 당황했고, 마후라가 이미 쓰레기 매립장으로 갔다는 사실을 알리며 사과했다.

하지만 그 승객은 그저 사과로는 만족하지 않았다. 그녀는 스카프의 가치를 100만 원으로 평가하며 배상을 요구했다. 김 기사는 고민에 빠졌다. 스카프가 정말 명품인지? 가격이 그렇게

고가인지? 가짜 스카프를 명품이라고 하지 않는지? 그 스카프가 명품이라면 일부러 흘리고 돈을 요구하기 위한 연극은 아닌지? 더욱이 최근에 가짜 공갈단이 차 내부나 외부에서 일부러 넘어지거나 부딪혀서 돈을 요구한 사례가 있기 때문이기도 했다. 그러나 그는 곧 포기했다. 물건을 본인이 쓰레기통에 버렸기 때문에 모두 허사임을 깨달았다. 그는 그저 일상의 일부로 여겼던 행동이 누군가에게는 소중한 추억과 가치를 지닌 물건이었다는 것을 깨닫는 순간이었다.

결국 두 사람은 합의점을 찾았다. 김 기사가 30만 원을 배상하기로 결정했다. 이 사건은 기사들에게 큰 교훈을 남겼다. 그것은 사소한 물건 하나에도 소중한 이야기와 가치가 담겨 있을 수 있다는 사실, 그리고 우리가 일상에서 마주치는 모든 것들을 조금 더 세심하게 바라볼 필요가 있다는 것이다.

이야기는 김 기사가 한 실수로 시작되었지만, 그를 통해 우리가 모두 중요한 교훈을 얻을 수 있었다. 우리의 일상에서도 누군가에게는 매우 소중한 가치를 지닌 것들이 있음을 잊지 말아야 한다. 때로는 사소해 보이는 행동 하나가 큰 파장을 일으킬 수 있다.

목숨을 구한 6716번 버스 기사

　재작년에 있었던 일이다. 서울의 한강 다리 위, 집중호우가 시작되던 어느 월요일 오전. 평범한 일상에서도 인간의 삶과 죽음이 교차하는 순간이 있다. 이는 어떤 이들에게는 지나가는 풍경일 수 있으나, 또 다른 이에겐 운명을 바꾸는 결정적인 순간이 된다. 이날, 한 여성이 극단적인 선택을 앞두고 있었으나, 버스 운전기사의 기지와 용기로 인해 안전하게 구출됐다. 이 사건은 우리 사회에 여러 가지를 생각하게 한다.

　비가 내리기 시작한 그날 오전, 6716번 버스를 운전하던 곽 기사는 양화대교를 달리고 있었다. 그때, 전방에 빨간색 옷을 입고 난간 위로 올라가는 여성을 발견한다. 순간, 곽 기사는 위험한 상황임을 직감하고 버스를 멈춰 세운다. 그러고는 주저하지 않고 여성이 있는 난간으로 달려간다. 신발을 가지런히 놓고, 가방을 놓은 채 난간 위에 서 있던 그녀를 안전하게 끌어내린다. 이러한 곽 기사의 행동은 주변 승객이 경찰에 신고할 수 있는 시간을 벌어주었고, 곧이어 도착한 경찰에게 여성을 인계할 수 있었다.

이 사건에서 곽 기사는 단순히 버스 운전기사를 넘어, 한 인간의 생명을 구하는 영웅으로 거듭났다. 매일 같은 노선을 운행하며 양화대교를 지나던 그는, 그날따라 날씨가 좋지 않고 물살이 센 가운데에서도 위험해 보이는 여성을 지나치지 않았다. "그날따라 무슨 생각이었는지 저도 잘 몰라요. 순간 살려야겠다고 생각했어요." 곽 기사의 말처럼 그 순간 그는 자신도 모르게 구조자가 되었다.

이 사건을 통해 우리는 몇 가지 중요한 교훈을 얻을 수 있다.

첫째, 사람들은 종종 자신의 일상에서 간과하기 쉬운 주변 환경에 더욱 주의를 기울여야 한다. 곽 기사처럼 우리는 모두 주위 사람들의 안위를 지키고 필요할 때 도움을 줄 준비가 되어 있어야 한다. 그의 행동은 우발적인 상황에서도 인간의 삶을 소중히 여기고 보호하려는 인간의 능력을 보여준다.

둘째, 이 사건은 사회적 연대감과 공동체 의식의 중요성을 강조한다. 곽 기사는 그 순간에 자신의 일상적인 업무를 넘어서 한 인간으로서 다른 인간을 구하는 데 주저하지 않았다. 그의 행동은 우리 사회에 더 많은 이해와 연대가 필요함을 상기시킨다. 이러한 연대는 가장 어두운 순간에도 희망의 빛이 될 수 있다.

셋째, 이 사건은 정신 건강의 중요성과 사회적 지원 체계의 필요성을 재확인시킨다. 극단적인 선택을 시도한 여성의 행동 뒤에는 여러 가지 복잡한 이유가 있을 수 있다. 이러한 상황은 정신 건강 문제에 대한 인식을 높이고, 위기에 처한 사람들을 위한 적극적인 지원 체계를 강화할 필요가 있음을 보여준다.

마지막으로 이 사건은 일상에서 우리 각자가 할 수 있는 작은 행동 하나가 큰 변화를 가져올 수 있음을 상기시킨다. 곽 기사는 단지 자기 일을 하다가 예상치 못한 상황에서 큰 용기를 보였다. 그의 행동은 우리 사회가 더욱 따뜻하고 연대하는 공동체가 될 수 있도록 영감을 준다.

이런 사건들을 통해 우리는 시내버스와 같은 일상적인 공간에서도 인간의 삶과 정신 건강, 사회적 연대와 같은 중요한 주제에 대해 다시 생각해 볼 수 있다. 시내버스는 단순히 사람들을 목적지까지 운반하는 수단이 아니라, 우리 사회의 다양한 얼굴을 반영하고 때로는 생명을 구하는 역할을 하는 중요한 공간이 될 수 있다. 이처럼 우리의 일상에서 벌어지는 사건 하나하나가 우리 모두에게 귀중한 교훈을 제공한다.

국위를 선양한 시내버스 기사

서울의 분주한 도심을 가로지르는 버스 한 대. 이 버스를 운전하는 이ㅇㅇ 기사는 매일 같이 다양한 사람들과 마주친다. 어느 날, 그의 버스에서 특별한 사건이 발생한다.

남성 한 명이 짐가방을 들고 버스에 올라탔다. 그의 다른 손에는 흰색 손가방도 함께 있었다. 몇 정류장을 지나자, 남성은 내리려고 준비했고, 짐가방만 들고 버스에서 내린다. 그는 중요한 것을 하나 잊고 내린 것을 깨닫지 못했다. 바로 그의 흰색 손가방이었다.

이 기사는 버스의 종점에 도착하고 차내를 돌아본 후, 그 손가방을 발견했다. 순간 이 기사는 예사롭지 않은 물건이라 간파했다. 마치 교대 근무로 퇴근하는 시간이라 즉시 발견한 손가방을 들고 경찰서로 향했다. 경찰은 가방에서 호텔 숙박 카드를 발견했고, 이를 단서로 수소문 끝에 3시간 50분 만에 손가방의 주인을 찾아냈다. 이 흰색 손가방의 주인은 출국을 앞둔 일본인 관광객이었다. 가방 안에는 8백만 원 상당의 현금 엔화와 여권, 그리고 집으로 돌아갈 비행기 표 등이 들어 있었다. 이는 단순한 손가방이 아닌, 주인에게 있어 매우 중요한 물건이었다. 그의 빠른 판단과 행동이 없었다면, 이 손가방의 주인은 큰 난관에 봉착했을 것이다.

이 일본인 관광객은 가방을 되찾고 무사히 일본으로 돌아갈 수 있게 되었다. 그는 감사의 표시로 이 기사에게 사례하겠다고 했지만, 이 기사는 극구 사양했다. 그에게 있어 이런 일은 단순히 해야 할 일을 한 것뿐이라고 했다.

이 사건은 단순한 분실물 찾아주는 이야기를 넘어서 깊은 의미를 담고 있다. 서울 한복판, 바쁜 일상에서도 우리 사회에는 여전히 따뜻한 마음을 가진 사람들이 있다는 것을 보여준다. 이 일본인 승객은 일본으로 돌아가서도 한국을 칭찬하고, 대한민국 좋은 나라를 전파할 것이다. 이 기사의 행동은 이처럼 국가적으로 많은 감동을 주었고, 작은 행동이 큰 기적을 만들어낼 수 있음을 증명했다.

이 기사의 사례로 본 교훈

1. 서로를 배려하고 도와주는 사회의 중요성을 일깨워 준다. 때로는 우리가 생각하는 것보다 작은 관심과 배려가 누군가의 삶에 큰 변화를 가져올 수 있다. 이 사례처럼, 선한 행동 하나가 우리 사회를 더욱 따뜻하게 만들 수 있다.

2. 우리는 모두 일상에서 잠시 멈춰 서서 주변을 돌아보고, 작은 도움이 필요한 이들에게 손을 내밀어야 한다는 것을 다시 한 번 깨닫게 된다. 이 기사의 사례는 우리에게 각자가 가진 영향력의 크기와 선한 행동의 파급 효과에 대해 생각해 보게 한다. 이 기사는 자신의 일상에서, 맡은 바 직업의 책임을 넘어서 인간으로서의 따뜻한 마음을 실천했다.

3. 이런 이야기들은 우리 사회에 더 많은 긍정적인 에너지를 전파한다. 한 사람의 선행이 다른 이들에게 영감을 주어, 더 많은 선한 행동이 이어지는 선순환을 만들어 낼 수 있다. 이 기사의 사례는 단순히 손가방을 돌려준 것 이상의 의미를 지니며, 우리 모두에게 중요한 교훈을 남긴다.

4. 우리가 살고 있는 사회는 때때로 냉담하고 개인주의적인 모습을 보이기도 한다. 그러나 이 기사의 행동처럼, 한 사람의 따뜻한 마음과 선행은 주변 사람들에게 큰 영향을 미치며, 사회 전체의 분위기를 변화시킬 수 있는 힘을 가지고 있다. 이러한 이야기는 우리에게 희망을 주며, 서로를 돕고 이해하는 더 나은 사회를 만들어 갈 수 있다는 믿음을 심어준다.

5. 이는 서로를 위하는 마음, 사소한 일에도 최선을 다하는 태도, 그리고 우리 사회가 나아가야 할 방향에 대한 중요한 메시지를 전달한다. 이 기사 같은 사람들이 더 많아질수록 우리 사

회는 더욱 따뜻하고, 더욱 연대감이 강한 곳으로 거듭날 것이다.

한 사람의 버스 기사가 보여준 작지만, 실천한 행동은 우리 모두에게 깊은 울림을 주며, 일상에서 마주치는 다양한 사람들과의 관계 속에서 우리 각자가 어떻게 행동해야 하는지, 다시 한번 생각하게 한다. 세상을 조금 더 밝고 따뜻하게 만드는 것은 바로 우리 한 사람 한 사람의 작은 관심과 배려에서 시작된다는 것을 이 이야기는 우리에게 상기시켜 준다.

국졸 76세 버스 기사에서 인생 역전한
박정만 씨가 주는 교훈

신록의 계절 6월 초 어느 날, 나는 지인의 초청을 받고 어디론가 향하고 있었다. 차 안에서야 지인이 성공 세미나에 간다고 알려주었다. 처음에는 그저 호기심에 따라나섰지만, 그날의 경험은 내 인생의 중요한 전환점이 되었다.

세미나 장소에 도착하자, 나는 수많은 사람으로 북적이는 모습을 보고 놀랐다. 각기 다른 배경을 가진 사람들이 한자리에 모여 있었다. 그들은 모두 성공에 대한 열망으로 가득 차 있었다. 지인과 함께 자리를 잡고 앉아, 나는 두근거리는 마음으로 세미나의 시작을 기다렸다.

우리는 각자의 인생길을 걷고 있으며, 그 길이 어디로 향하는지, 중간에 어떤 장애물이 기다리고 있는지 모른 채로 두려움과 설렘을 안고 전진한다. 인생의 여정은 때로 우리에게 예상치 못한 도전을 제시하며, 이는 박정만 씨의 이야기에서도 명확히 드러난다.

박정만 씨의 이야기는 단순한 성공담을 넘어, 삶이 얼마나 역동적이고 예측 불가능하며, 끈기의 중요성을 보여주는 감동적인 사례다. 그의 이야기를 통해 우리는 인생의 전환점을 맞이하는 순간, 어떤 자세와 태도로 임해야 하는지 배울 수 있다.

박정만 씨는 초등학교 졸업이라는 낮은 학력과 76세라는 고령에도 불구하고, 관광버스 기사에서 연봉 4억이 넘는 성공자로 변신한 인물이다. 그의 삶은 과거의 실패와 재도전을 통해 빛을 발하게 되었다.

초등학교를 졸업한 후, 박정만 씨는 서적 출판 사업에 뛰어들어 성공을 거두었다. 34년 동안의 노력 끝에 13억 7천만 원이라는 돈을 모았지만, 믿었던 지인에게 사기를 당해 모든 것을 잃고 말았다. 그 충격으로 인해 두 번이나 극단적인 선택을 시도했지만, 그는 그때마다 다시 일어섰다. 이후 생계를 위해 관광버스 기사를 시작했으나, 나이가 들면서 점차 버스 운전도 어려워질 것을 걱정하며 폐지를 줍는 일까지 생각하게 되었다.

그러던 어느 날, 그는 애터미 사업자들을 모시고 세미나장에 가게 되는 일을 맡게 되었다. 관광버스를 대절해 세미나에 참석하는 사람들을 보고 그는 그들이 무엇을 얻기 위해 이토록 열심히 움직이는지 궁금해졌다. 세미나가 끝날 때까지 기다리던 그는 먼저 나온 사람에게 제품에 대한 설명을 들었고, 처음에는

"다단계 사업"이라는 말에 크게 실망했지만, 한 달에 네 번씩 버스를 이용해 세미나에 참석하는 사람들의 열정을 보고 제품을 구입하게 되었다.

이 건강식품을 섭취하면서 박정만 씨의 인생은 다시 한번 큰 변화를 맞이했다. 그는 제품의 효과를 직접 체험하고, 애터미 사업에 대한 신뢰를 가지게 되었다. 그 후 자발적으로 강의장을 찾아다니며 사업에 대해 더 깊이 배우기 시작했다. 처음에는 반신반의했지만, 선배 사업자들의 진심 어린 강연을 듣고 점차 확신을 가지게 되었다.

7년간 관광버스 운전을 그만두고 애터미 사업자로서 성공을 거두었다. 그의 성공은 단순히 경제적인 성과를 넘어, 나이와 학력에 관계없이 누구나 끈기와 열정으로 인생을 변화시킬 수 있다는 강력한 메시지를 전달한다.

그는 자기 삶의 이야기를 통해 성공의 비결을 전했다. 그의 이야기는 단순히 성공의 결과만을 다루지 않았다. 오히려 실패와 좌절, 그리고 그 과정에서 배운 교훈들이 주를 이루었다. 그는 끊임없는 학습과 도전, 그리고 네트워크의 중요성을 강조했다. 그의 진솔한 이야기는 내 마음 깊이 울림을 주었다.

박정만 씨의 이야기는 우리에게 많은 시사점을 제공한다. 첫째, 실패와 좌절 속에서도 포기하지 않고 다시 일어서는 용기와 끈기가 중요하다는 것이다. 둘째, 새로운 기회를 맞이했을 때 열린 마음으로 받아들이고, 그 기회를 최대한 활용하는 자세가 필요하다는 것이다. 셋째, 나이와 학력은 성공의 걸림돌이 될 수 없으며, 진정한 성공은 자신의 열정과 노력을 통해 이루어지는 것임을 보여준다.

그의 성공담을 종합해 보고 우리도 성공으로 가는 길에는 보편적인 원칙들이 있으며, 다음과 같은 방법들이 도움이 될 수 있다.

1. 목표 설정: 성공을 위해서는 명확한 목표가 필요하다. 자신이 이루고자 하는 것이 무엇인지, 그리고 그것을 달성하기 위해 어떤 단계를 밟아야 하는지 구체적으로 계획해야 한다. 1년 안에 무엇을 할 것인지? 2년, 3년, 4년, 5년 안에 무엇을 이룰 것인지 확실한 목표 설정이 중요하다.

2. 지속적인 학습과 성장: 어느 분야에서든, 지속해서 새로운 지식을 습득하고 기술을 발전시켜야 한다. 변화하는 시대에 발맞추어 계속해서 성장하는 것이 중요하다. 현대는 손안에서 이루어지는 인터넷과 AI 시대다. 이에 맞는 일과 사업이 비전 있는 것이며 성공으로 가는 길이다.

3. 노력과 인내: 성공은 하루아침에 이루어지지 않는다. 장기간에 걸친 노력과 인내가 필요하며, 실패를 겪더라도 포기하지 않고 계속 도전하는 자세가 중요하다. 처음부터 잘되는 일은 속임수 이거나 사기다. 차근차근 직접 몸으로 체험해 보고 느껴보아야 성공한다.

4. 네트워킹: 다른 사람들과의 관계를 발전시키는 것도 성공에 중요한 역할을 한다. 멘토, 동료, 혹은 업계의 다른 전문가들과의 네트워크를 통해 새로운 기회를 발견하고, 지식과 경험을 공유할 수 있다.

5. 적응성: 환경과 상황이 변함에 따라 유연하게 대응하는 능력도 성공에 필수적이다. 시장의 변화, 기술의 발전 등에 빠르게 적응하면서도 자신만의 고유한 가치를 유지하는 것이 중요하다.

6. 자기 관리: 자신의 시간과 에너지를 효율적으로 관리하는 것도 성공을 위해 중요하다. 목표에 집중하면서도 건강과 웰빙을 유지하는 균형을 찾는 것이 중요하다.

각자의 상황과 목표에 따라 이러한 원칙들을 자신만의 방식으로 적용해야 한다. 중요한 것은 자신에게 맞는 방법을 찾아 지속해서 노력하는 것이다.

이러한 교훈을 통해 우리는 박정만 씨의 이야기를 단순한 성공담으로만 받아들이지 않고, 자기 삶에 적용해 볼 수 있는 귀중한 지침으로 삼을 수 있다. 그의 이야기는 우리 모두에게 큰 울림을 주며, 인생의 장애물을 극복하고 새로운 기회를 맞이하는 데 있어 중요한 영감을 제공한다.

세미나가 끝난 후, 나는 지인과 함께 많은 대화를 나누었다. 각자의 목표와 꿈을 이야기하며 서로에게 영감을 주고받았다.

나는 그 자리를 계기로 다양한 분야의 사람들과 인연을 맺었고, 그들의 경험과 조언은 나에게 큰 자극이 되었다.

그날, 집으로 돌아가는 길에 많은 생각에 잠겼다. 그날의 경험을 통해 나는 내 삶의 방향을 다시 한번 점검하게 되었다. 단순히 성공을 꿈꾸는 것에서 벗어나, 구체적인 목표와 계획을 세우고, 끊임없이 배워나가야겠다는 결심을 하게 되었다. 또한, 새로운 사람들과의 연결을 통해 더 넓은 시야를 가지게 되었다.

그날 이후, 나는 매일 아침 새로운 다짐으로 하루를 시작했다. 책을 읽고, 강의를 듣고, 새로운 사람들과의 만남을 이어갔다. 그리고 시간이 흐를수록, 나는 조금씩 나의 목표에 가까워지고 있음을 느낀다. 성공 세미나는 단순한 하루의 이벤트가 아닌, 내 인생의 중요한 전환점이었다. 그날의 경험이 없었다면, 나는 여전히 같은 자리에서 맴돌고 있었을 것이다.

이제 나는 다른 사람들에게도 이 성공 이야기를 전하며, 그들이 자신의 꿈을 향해 나아갈 수 있도록 돕고 있다. 신록의 계절 6월 초, 그날의 세미나는 나에게 새로운 시작을 선물해 주었다. 그리고 나는 그 선물을 소중히 여기며, 계속해서 앞으로 나아가고 있다.

버스 기사들의 애로 사항을 들었다

필자는 현재 서울 시내버스 회사에서 근무한다. 현장에서 바라본 시내버스 기사들이 겪고 있는 애로 사항을 객관적으로 기술해 본다. 아래 내용은 그동안 기사들과 나눈 대화 내용과 필자가 현장에서 바라본 내용을 바탕으로 한다.

1. 배차간격 준수하세요

가장 스트레스 받는 부분이라 생각한다. 배차간격 준수는 시내버스 기사에게 매우 중요한 책임 중 하나이다. 도시의 교통 상황이나 여러 외부 요인(날씨, 도로 공사, 교통사고 등)에 따라 배차간격을 맞추기가 어려울 때가 많다. 버스가 정해진 시간보다 늦거나 이르게 도착하면 승객들의 불만이 증가하고, 이는 곧바로 민원으로 이어질 수 있다. 이러한 압박감 속에서 기사들은 최선을 다해 시간을 맞추려고 하지만, 항상 가능한 것은 아니다.

　일반 사람들은 이해하기 어려운 부분이다. '매일 같은 길을 운전하는 데 뭐가 힘이 들까?'하고 할 수도 있겠지만, 출퇴근 시간이나 신호체계와 위험 구간 등 현장 상황에 따라 차량 간격은 달라진다. 따라서 배차 정시성은 힘들어진다. 그런 익숙한 길임에도 시간에 쫓겨 조급해지면 시야가 좁아져 사고 위험이 커진다. 예를 들어, 10분 배차간격으로 출발했다고 가정 해하자. 출근 시간이라면 다른 차량까지 차가 점점 늘어나고 앞차가 한 번에 통과한 신호를 다음 차는 두 번 만에 통과한다. 다음 정류장에는 신호 하나만큼 탑승객이 늘어나서 또 늦는다. 이런 식으로 1~2분, 15분 20분 지연이 누적되면 승객들은 늦었다고 항의하고 뒤차는 밀착으로 붙고 배차실에서는 간격을 맞추라고 경고 메시지가 단말기에 날아온다. 따라서 차고지에 들어와서도 쉬는 시간이 줄어들고 식사도 충분하지 않아 급하게 해결해야 한다.

　출퇴근 시간이나 교통사고, 도로공사 등의 이유로 이런 일이 매일 비일비재하다. 교통량이 늘어나면 어쩔 수 없이 일어나는 현상들이다. 그래서 일부 기사들은 배차간격을 맞추려고 끼어들거나 차선 변경, 신호 위반을 해야만 할 때도 있다. 앞차가 조금 천천히 주행하면서 지연된 시간을 나눠 가지면 좋지만, 내 코가 석 자인지라 본인이 손해를 보면서 동료를 위하는 기사는 드물다.

　회사는 사고 예방을 위해 안전 운행을 강조한다. 배차간격을 준수하라고 하고 또 태너지(연료 절감장치)에도 신경 쓰라고 요구한다. 배차간격을 맞추려면 모든 신경을 집중해야 한다. 만약 교통법

규라도 위반하면 기사 책임이며, 교통사고 위험이 높아진다. 스트레스받는 부분이지만 직업정신으로 감내한다. 회사나 기사나 사고가 나지 않는 것이 최선이며 모두의 평화이다. 운행이 끝나고 차고지에 도착해서 기사들이 하는 말은 거의 같다. 본인 행동은 정당화하면서 누구 운행 매너가 어떻고 누가 빨리 가고 늦게 가고 뒷말과 남 탓이 심하다. 그만큼 시내버스 기사들이 배차 간격에 대한 스트레스가 심하다는 뜻이다.

2. 교통사고와 그 처리 과정이 압박이다

사고가 발생했을 때, 그 책임이 기사에게 있든 아니든, 기사는 당사자로서 미안함과 그 처리 과정에 직면해야 한다. 만약 가해자라면 이 과정은 신체적, 정신적 스트레스를 동반하며, 때로는 금전적 손해나 법적 문제로 이어질 수도 있다. 사고 처리 과정은 복잡하고 시간이 많이 소요되며, 이는 기사의 정신 건강에 부정적인 영향을 미친다.

피해 사고를 내면 회사에서 경위서를 쓰고 주의를 받는 정도이고 별다른 불이익은 없다. 가해 사고는 다르다. 12대 중과실, 사망, 다수의 중상자가 발생한 사고의 경우 해고되거나 그와 비슷한 중징계를 받게 된다. 보험사에서 처리한다고 하지만, 경미한 사고라 하더라도 피해자가 병원에 입원하지 못하도록 기사가 피해자에게 연락해서 사정 좀 봐달라고 해야 한다. 처리 비용을 줄이기 위해서라도 그렇게 하는 것이 좋다. 요즘은 아주 작은 사고라도 병원에 입원하거나 합의금을 요구하는 경우가 많다. 그 때문에 사고가 나면 트라우마가 생기고, 멘털이 나가 한동안 일하기가 싫어진다. 운전하다가 사고가 나면 무서워서 차를 몰지 못하는 경우와 같다.

3. 안전사고 위험이 항상 도사린다

시내버스 기사는 안전사고의 위험은 항상 존재한다. 대중교통 운전기사로서 다수의 생명을 책임지는 역할을 하기 때문에, 사고 발생 시 그 심리적 압박감은 매우 크다. 또한, 사고는 기사의 경력에도 영향을 미칠 수 있어 항상 최선의 주의를 기울여야 한다.

버스가 움직일 때 승객이 다치는 사고는 무조건 운전기사의 책임이다. 그것을 알고 일부러 넘어지거나 다쳤다며 돈을 요구하는 승객들도 있다. 기사들 대부분은 이런 경험이 있으며 직업상 경험이라고 자조한다. 크게 다치면 보험처리를 하지만 경상일 경우 기사 개인 비용으로 몇십만 원 주고 무마하는 편이다. 보험처리하고 징계받는 것보다 훨씬 낫기 때문이다. 인사 사고로 승객에게 돈을 주고 나면 원수로 보인다. 가짜 환자들도 문제지만 정말 무서운 것은 노인들이다. 잘못 넘어져 척추나 고관절이 잘못되면 회사는 기간이 없이 매달 수백만 원의 치료비를 부담하게 되며, 기사는 치료 비용만큼 징계도 비례해서 커진다.

4. 동료 기사들의 관계가 이상하다

동료 기사들과의 관계도 중요한 고려 사항이다. 교대 근무, 노선 변경 등으로 인해 동료들과의 소통이 원활하지 않을 수 있으며, 이는 업무상의 오해나 갈등으로 이어질 수 있다. 또한, 동료 간의 경쟁이나 비교로 인한 스트레스도 존재한다. 간혹 고참 기사와 신참 기사의 소통 부족으로 인하여 소원해지거나, 신참인 경우, 버티지 못하고 그만둔 경우가 있다. 상대방에 대한 배려심이 부족하고 본인만 생각하는 사람도 있다. 필자가 생각하기는 앞차 기사와 뒤차 기사가 운행 시 밀착으로 가거나 지연으로 운행할 때 차고지에 들어와서 싸우는 경우가 있다. 차량 간격이 벌어지면 뒤차가 승객을 많이 태우기 때문에 스트레스받을 수 있다. 또 오전 오후 교대 자와 사이가 좋지 않은 경우도 있다. 차량에 이상이 있다거나 자기 스타일에 맞지 않을 경우 서로 신경전을 벌이는 경우도 있다.

5. 장시간 운전하는 것

장시간 앉아서 운전하는 것은 시내버스 기사의 건강에 부정적인 영향을 미친다. 척추, 목, 어깨 등에 통증이 발생할 수 있으며, 장기적으로는 만성질환으로 발전할 위험이 있다. 또한, 이러한 육체적 피로는 정신적 피로로 이어질 수 있다. 나의 직업이니만큼 휴식 시간이나 휴일에 운동 등 이겨내는 방법을 찾아 실행하는 것이 좋다.

6. 화장실이 급해요

화장실 문제는 시내버스 기사에게 매우 심각한 문제 중 하나이다. 노선상의 화장실 접근성이 낮거나, 배차간격으로 인해 화장실을 사용할 시간이 부족할 때가 많다. 이는 건강상의 문제로 이어질 수 있으며, 특히 장시간 운전으로 인해 발생할 수 있는 비뇨기계 질환에 더 취약하게 만든다. 따라서, 기사들은 자신의 건강과 업무

사이에서 어려운 선택을 해야 하는 상황에 직면하곤 한다.

소변은 어느 정도 참을 수 있고 회차지에 화장실이 있는 경우가 대부분이다. 문제는 급하게 배가 아프거나 설사인데 평소 다니는 노선에 이용할 수 있는 화장실을 최대한 알아둬야 한다. 여건이 안돼서 옷에 실례한 경우도 있다.

7. 민원의 시대

마지막으로, 민원 문제는 시내버스 기사의 직업적 스트레스 중 하나이다. 승객의 불만족, 오해, 기대치와의 차이 등 다양한 이유로 민원이 발생할 수 있으며, 이는 기사에게 큰 정신적 부담을 주게 된다. 민원 처리 과정에서의 스트레스는 기사의 업무 만족도와 직업에 대한 열정을 저하할 수 있으며, 이는 업무 성과에도 영향을 미칠 수 있다.

하루에도 수많은 전화가 걸려 온다. 가히 민원의 시대다. SNS의 발달로 시민의식 수준이 올라가면서 순기능인지 역기능인지 약간의 불편을 참지 못하고 민원을 제기한다. 다산콜센터에 민원이 접수되면 기사는 서면으로 소명 자료를 제출해야 한다. 내용을 들어보면, 불친절하다, 난폭운전 한다, 안 내려 줬다, 무정차 했다, 냉난방 문제 등 민원은 다양하다.

화사 차원이나 기사들 차원이나 이런 문제를 최대한 발생하지 않도록 하는 것이 사실이다.

결론

이상과 같이 시내버스 기사들이 겪는 어려움과 스트레스가 실제로 얼마나 큰지 새삼 깨닫게 된다. 일반적으로 우리가 생각할 수 있는 버스 기사의 일상은 단순히 '매일 같은 길을 운전하는 것'에 국한되지 않는, 매우 복잡하고 다양한 어려움으로 가득 차 있음을 이해한다.

특히 배차 간격을 맞추는 문제는, 단순히 시간 관리의 문제가 아니라 실제로 교통 상황, 승객의 요구, 회사의 징계 등 여러 외부 요인에 의해 영향을 받는다는 점에서 그 어려움이 클 것임을 느낄 수 있다. 이 과정에서 발생하는 스트레스가 기사들에게 얼마나 큰 부담으로 작용하는지에 대해 생각해 본다.

또한, 가해 사고와 인사 사고 처리 과정에서 드러나는 심리적, 경제적 부담은 기사들이 겪는 또 다른 큰 어려움임을 보여준다. 특히 사고 후의 트라우마와 정신력 관리의 중요성에 대해 생각하게 되며, 이는 단순히 개인의 문제를 넘어서서 직업의 특성상 필연적으로 마주하게 되는 과제임을 알 수 있다.

동료 기사들과의 관계, 장시간 앉아서 일하는 것의 육체적 어려움, 화장실 문제 등은 일반인들이 쉽게 생각하지 못하는, 버스 기사들만이 겪는 특수한 문제들이다. 이러한 문제들을 통해 그들의 일상이 얼마나 많은 도전으로 가득 찬지를 이해할 수 있다.

민원 문제에 대해서는 현대 사회에서 높아진 시민의식이 양날의 검으로 작용할 수 있다는 점을 보여준다. 민원이 개선을 위한 중요한 도구가 될 수 있지만, 때로는 과도한 스트레스와 부담으로 다가올 수 있다는 점에서 그 균형을 찾는 것의 중요성을 느낀다.

이러한 내용을 통해 버스 기사들이 겪는 어려움에 대해 더 깊이 공감하게 되고, 그들의 노고에 감사하는 마음을 가지게 된다. 우리 사회가 이러한 어려움을 이해하고, 보다 나은 근무 환경과 처우 개선을 위해 함께 고민하고 노력해야 할 필요성을 느낀다.

느낀 점

위에서 다룬 시내버스 기사의 어려움은 이들이 매일 마주하는 다양한 도전과 압박을 새삼 느끼게 한다. 우리가 일상에서 쉽게 접하고, 때로는 당연하게 여기는 대중교통 서비스의 배후에는 이러한 어려움에도 불구하고, 많은 시내버스 기사가 매일 사명감을 가지고 자신의 업무를 수행한다. 그들의 노고와 헌신은 우리 사회의 이동성과 연결성을 유지하는 데 있어 매우 중요하다. 이들의 노고와 헌신이 있음을 잊지 말아야 할 것이다

시내버스 기사로서 겪는 스트레스와 어려움은 단순히 개인의 문제를 넘어서, 사회적 관심과 해결이 필요한 부분임을 인식하게 된다. 특히, 장시간의 운전, 민원 처리, 안전사고의 위험 등은 신체적, 정신적 건강을 심각하게 위협하고, 이는 결국 서비스의 질과 직결되는 문제이다. 따라서, 기사들의 근무 환경 개선은 단순히 근로자 보호의 차원을 넘어서 대중교통 서비스의 질적 향상을 위해서도 필수적이다.

또한, 이러한 어려움에 대해 사회적으로 인식하고, 적극적으로 개선해 나가려는 노력이 요구된다. 예를 들어, 배차간격 준수와 화

장실 이용 등의 문제는 시스템적, 구조적 개선을 통해 해결할 수 있을 것이다. 버스 기사들의 업무 부담을 줄이고, 그들이 보다 안전하고 편안한 환경에서 일할 수 있도록 지원하는 것은 우리 모두의 책임이다.

이를 통해 시내버스 기사들이 직업에 대한 자부심을 가지고, 스트레스 없이 업무를 수행할 수 있는 환경이 조성된다면, 이는 곧 대중교통 이용객들에게도 긍정적인 영향을 미칠 것이다. 이 책이 이러한 문제에 대한 인식을 높이고, 실질적인 변화를 끌어내는 데 기여할 수 있기를 바란다.

장시간 운전 중에 체력을 유지하는 방법

　서울 시내에는 수백 개의 버스 노선이 있다. 필자의 회사도 짧게는 두 시간에서 길게는 다섯 시간 가까이 운전석에 앉아서 계속 운전해야 한다. 따라서 운전 중에 체력을 유지하는 것은 안전운전의 중요한 측면 중 하나이다. 장시간 운전하는 동안 몸과 마음의 피로를 관리하는 것은 단순한 건강 유지를 넘어서, 우리 모두의 안전을 지키는 필수적인 행동이다. 이러한 관점에서, 운전자가 체력을 유지하며 안전운전을 위해 취할 수 있는 행동에 대해 알아본다.

　충분한 수면과 휴식의 중요성: 충분한 수면은 운전자의 집중력과 반응 속도를 결정짓는 중요한 요소이다. 장시간 운전을 앞두고 충분히 자는 것은, 마치 운전을 위한 '전력 충전'과도 같다. 따라서, 운전 전날 밤에는 일찍 잠자리에 들어 충분한 휴식을 취하는 것이 중요하다. 또한, 긴 노선 운전 중에는 반환점에서 짧은 휴식을 취하거나 화장실을 가거나 간단한 스트레칭을 하는 것도 피로를 효과적으로 해소하는 방법의 하나이다. 이렇게 함으로써, 운전 중에 발생할 수 있는 집중력 저하나 졸음운전의 위험을 최소화할 수 있다.

영양 섭취 관리의 중요성: 운전 전, 올바른 식사는 에너지 수준을 유지하는 데 필수적이다. 고지방, 고칼로리 음식은 일시적인 만족감을 줄 수 있지만, 이후에 발생하는 피로감은 운전 능력에 부정적인 영향을 끼칠 수 있다. 따라서, 과일, 채소, 통곡물과 같이 장시간 에너지를 제공하는 식품을 섭취하는 것이 바람직하다. 더불어, 운전 중에는 물을 자주 마시며 충분한 수분 섭취를 통해 탈수를 방지하는 것이 중요하다. 이는 집중력 유지에 도움을 주며 장시간 운전으로 인한 피로감을 줄여준다.

적절한 신체 활동의 중요성: 장시간 운전은 근육의 긴장과 통증을 초래할 수 있다. 이를 예방하기 위해 운전 중 정기적으로 신체 활동을 하는 것이 중요하다. 간단한 스트레칭이나 가벼운 운동은 혈액 순환을 촉진하고 근육의 긴장을 완화하는 데 도움이 된다. 특히, 운전으로 인해 긴장되기 쉬운 목, 어깨, 등, 다리 등의 부위에 초점을 맞춘 스트레칭은 장시간 운전으로 인한 불편함을 줄이고, 전반적인 운전 경험을 개선한다.

정신적 집중력 유지의 중요성: 운전 중 정신적 피로를 관리하는 것은 물리적 건강만큼 중요하다. 오디오북이나 팟캐스트를 듣는 것은 운전 중에도 정신을 활성화하는 좋은 방법이다. 이와 같은 콘텐츠는 장거리 운전 중에도 머리를 맑게 유지하고, 졸음을 쫓는 데에 효과적인 방법의 하나이다. 또한, 운전 중간중간에는 음악을 변경하거나, 잠시 라디오 채널을 바꾸는 것만으로도 새로운 자극을 받아 정신적인 피로감을 줄일 수 있다. 이는 운전에 대한 집중력을 유지하게 도와주며, 장거리 운전의 단조로움을 깨뜨리는 데에도 도움이 된다.

장시간 운전을 할 때는 가능한 한 자주 정신적인 집중력을 검사하는 것이 중요하다. 만약 졸음이 느껴지거나 집중력이 흐트러지는 증상이 나타난다면, 잠시 안전하게 차를 세우고 화장실을 다녀오거나 가벼운 스트레칭이 도움이 된다. 또 좋은 방법은 차를 한 바퀴 돌면서 타이어를 점검하는 것도 좋은 방법이다. 이렇게 하면 혈액순환이 촉진되고 몸과 마음이 다시 활기를 찾을 수 있다.

긴 노선 운전의 또 다른 중요한 측면은 안전운전이다. 항상 도로 상황과 주변 차량에 주의를 기울이고, 앞서 언급한 운전 중 휴식과 정신적 집중력 유지 방법을 실천함으로써, 기사는 도로 위에서 보다 안전하고 책임감 있는 운전자가 될 수 있다. 또한, 운전 중 휴대전화 사용과 같은 주의 분산 요소는 피하고, 언제나 안전벨트를 착용하는 것을 잊지 말아야 한다.

이처럼 장거리 노선 운전은 철저한 준비와 올바른 습관을 통해 훨씬 더 안전하고 즐거운 경험이 될 수 있다. 충분한 수면과 휴식, 올바른 식사, 적절한 신체 활동, 그리고 정신적 집중력 유지는 장시간 운전의 성공적인 관리를 위한 필수 요소이다. 이러한 요소들을 잘 조합하고 실천함으로써, 우리는 도로 위에서의 장시간 운전을 건강하고 안전하게 극복할 수 있다.

배차 간격과 배차 정시성은 승객과의 약속이다

어느 추운 겨울 아침, 이른 새벽부터 분주하게 움직이는 사람들의 발길이 끊이지 않는 도시의 한 모퉁이. 이곳에서 하루가 시작된다. 그러나 이 평범해 보이는 일상에도 불구하고, 많은 이들이 겪고 있는 불편함이 있다. 바로, 시내버스의 배차 간격과 정시성에 관한 문제이다.

"날씨가 얼마나 추운데, 버스는 왜 이렇게 오지 않는 거죠?"

한 승객의 전화가 교통 관리 센터에 울려 퍼진다. 이는 단순히 한 사람의 불만이 아니라, 수많은 시민이 매일 같이 겪고 있는 현실이다. 또 다른 승객은 "제발, 일찍 출근해야 하는데 버스가 왜 이렇게 느리죠?"라며 절박함을 호소한다. 이처럼, 시내버스의 배차 간격과 정시성은 단순한 교통 문제를 넘어, 많은 이들의 일상과 밀접하게 연결되어 있다.

시내버스는 도시 내 대중교통의 중추 역할을 한다. 사람들이 일 터로, 학교로, 혹은 중요한 약속에 도달하기 위해 의존하는 주요 수단이다. 이런 중요한 역할을 하는 시내버스의 배차 간격과 정시 성이 제대로 유지되지 않는다면, 그것은 곧 많은 사람의 일상에 직 접적인 영향을 미치게 된다. 출근길에 지각하게 되는 것은 물론, 중요한 약속이나 시험에 늦는 일도 발생할 수 있으며, 이는 곧 개 인의 생활뿐만 아니라 사회 전체의 생산성에도 영향을 줄 수 있다.

또한, 시내버스의 배차 간격과 정시성이 잘 유지되지 않으면, 사 람들은 다른 교통수단으로 전환할 것이다. 이는 도시의 교통 체계 에 불필요한 부하를 주고, 교통 체증과 같은 다른 문제들을 야기할 수 있다. 따라서, 시내버스의 배차 간격과 정시성을 유지하는 것은 단순히 버스를 이용하는 승객들에게만 중요한 문제가 아니라, 도시 의 교통 시스템을 원활하게 유지하기 위한 필수적인 요소다.

시내버스는 도시 생활에서 빠질 수 없는 교통수단 중 하나다. 도 시의 한구석에서 다른 구석으로, 집에서 사무실로, 학교에서 상점 가로, 다양한 목적지로 우리를 안전하게 이동시켜 주는 신뢰할 수 있는 수단이다. 이때 중요한 요소 중 하나가 바로 '배차 간격'과 ' 정시성'이다.

배차 간격은 버스가 한 대 이후 다음 버스가 오기까지 걸리는 시 간을 의미한다. 이 배차 간격이 너무 길 경우 승객들은 버스를 오 랫동안 기다려야 하며, 이는 승객들의 시간을 낭비하게 만든다. 반 대로 배차 간격이 너무 짧으면 버스가 과도하게 운행되어 운영 비 용이 증가하게 된다. 따라서 적절한 배차 간격을 유지하는 것은 버

스 서비스의 효율성과 승객의 만족도를 높이는 데 중요한 역할을
한다.

다음으로 정시성은 버스가 정해진 시간에 정류장에 도착하고 출
발하는 것을 의미한다. 버스가 정시에 운행되지 않으면 승객들은
예상하지 못한 대기 시간을 갖게 된다. 이는 승객들의 스케줄을 혼
란스럽게 하며, 심지어는 중요한 약속이나 일정을 놓칠 수도 있다.
따라서 버스의 정시성은 승객들의 신뢰를 얻고, 그들의 생활을 더
욱 편리하게 만드는 데 매우 중요하다.

하지만 현실에서는 이러한 이상적인 상황이 항상 이루어지지는
않는다. 도시의 트래픽 상황, 날씨, 도로 공사 등 여러 외부 요인
으로 인해 버스의 배차 간격과 정시성이 항상 유지되지 못하는 경
우가 많다. 이런 상황에서 버스 배차담당자는 어려운 결정을 내려
야 한다. 그들은 외부 요인에 유연하게 대응하면서도 승객들의 만
족도를 최대한 높이려고 노력해야 한다.

이러한 문제를 해결하기 위해선, 교통 관리 센터는 실시간으로
교통 상황을 모니터링하고, 필요한 경우 즉시 대응하여 배차 간격
을 조정해야 한다. 또한, 첨단 기술을 활용하여 버스의 위치와 도
착 예정 시간을 정확히 예측하고, 이 정보를 승객들에게 실시간으
로 제공함으로써 대중교통 이용의 편리성을 향상할 수 있다. 이와
같은 노력은 승객들의 불편함을 줄이고, 대중교통에 대한 신뢰성을
높이는 데 크게 기여한다.

더 나아가, 시내버스 배차 간격과 정시성의 문제를 해결하기 위
해서는 장기적인 관점에서의 계획도 필요하다. 교통 수요 예측을

바탕으로 한 체계적인 노선 설계, 충분한 버스 운행 대수의 확보, 그리고 운전기사들의 근무 조건 개선 등이 포함되어야 한다. 이러한 대책들은 단기적인 해결책이 아닌, 지속 가능한 대중교통 시스템을 구축하는 데 중요한 역할을 한다.

시내버스 배차 간격과 정시성의 문제는 단순히 기술적인 해결책으로만 극복할 수 있는 것이 아닙니다. 이 문제의 해결을 통해 우리는 더욱 공정하고, 포용적이며, 지속 가능한 도시 교통 시스템을 구축할 수 있습니다. 이것이 바로, 시내버스 배차 간격과 정시성의 중요성이 우리에게 가지는 깊은 의미입니다.

무엇보다 중요한 것은, 시내버스 배차 간격과 정시성의 문제를 단지 '운영의 문제'로만 인식하지 않고, '시민의 권리'와 '사회적 책임'의 관점에서 접근하는 것이다. 모든 시민은 안전하고, 편리하며, 정확한 대중교통 서비스를 이용할 권리가 있다. 이 권리를 보장하기 위해, 관련 기관과 단체, 그리고 시민 사회 모두가 함께 노력해야 한다.

향후에는 스마트 도시 기술의 발전으로 인해 이러한 문제를 해결하는 데 더욱 효과적인 방법이 제공될 것으로 기대된다. 예를 들어, 인공지능 기술을 활용하여 실시간 교통 상황을 분석하고, 이를 바탕으로 최적의 배차 간격과 정시성을 유지하는 시스템이 개발될 수 있을 것이다.

결국, 배차 간격과 정시성은 시내버스 운영의 핵심 요소이며, 이를 효과적으로 관리하는 것은 승객들의 만족도와 버스 서비스의 효율성을 높이는 데 매우 중요하다. 이를 위해 지속적인 연구와 개선 노력이 필요하며, 이를 통해 우리는 모두 더 편리하고 효율적인 버스 서비스를 이용할 수 있을 것이다.

시내버스의 배차 간격과 정시성은 단순히 교통의 효율성을 넘어서, 도시의 삶의 질과 직결되는 문제다. 우리가 이 문제에 주목하고, 해결하기 위해 노력할 때, 더욱 원활하고 편안한 도시 생활이 가능해질 것이다. 이를 통해, 추운 겨울 아침에도, 또 무더운 여름 오후에도, 모든 이들이 시간에 구애받지 않고, 자신의 일상을 자유롭게 영위할 수 있는 그날을 기대해 본다.

CH 4
서울, 도시의 풍경을
담은 버스

서울 시내버스의 현황과 중요성

　서울이라는 도시에서 시내버스는 가장 일반적이고, 동시에 가장 필수적인 교통수단이다. 지하철과 택시 등 다른 대중 교통수단과 비교했을 때도 그 중요성은 여전하다. 이는 시내버스가 도시 전체를 가로지르는 넓은 서비스 영역과 다양한 노선을 가지고 있기 때문이다.

　지하철은 그 속도와 효율성에서 우위를 차지하고 있지만, 그 서비스 영역은 한정적이다. 지하철 노선은 이미 정해져 있고, 그 노선을 벗어난 곳에는 서비스를 제공할 수 없다. 반면, 시내버스는 유연성이 뛰어나다. 도로만 있으면 어디든지 갈 수 있고, 노선도 필요에 따라 쉽게 변경할 수 있다는 장점이 있다.

　택시는 개인화된 서비스를 제공하는 대신, 요금이 상대적으로 높다는 단점이 있다. 그리고 택시는 한 번에 한 그룹의 승객만을 태울 수 있어, 대규모 이동 수단으로는 적합하지 않다. 반면, 시내버스는 한 번에 많은 수의 승객을 태울 수 있으며, 앞서 언급한 지하철과 택시에 비해 상대적으로 저렴한 요금을 지불하게 된다.

나는 쉬는 날이면 수시로 시내버스를 타고 시내 여행을 한다. 아파트에서 마을버스를 타고 나가 사당역으로 가는 버스를 갈아타고 사당에서 4318번 버스를 타면 천호역까지 가서 돌아오는 약 4시간이 소요되는 장거리 코스다.

사당 대로를 지나서 오른쪽으로 돌아가면 고속버스터미널이다. 무작정 내려 전국 어디든 목적지 없이 떠나고 싶어진다. 신사동을 지나면 패션 1번지 압구정 로데오 거리다. 분위기 좋은 카페 창밖에 걸터앉아 좋아하는 라떼 한 잔 시켜놓고 지나가는 사람만 구경해도 좋을 것 같다. 영동대교로 가기 전, 우회전해서 영동대로를 타면 오른쪽에 봉은사 지나고 상습 정체 구간인 삼성역 구간이다. 이미 SM타운 코엑스 아티움이 자리 잡은 대형 전광판은 수많은 볼거리를 상영해 잠시 딴청을 팔아도 지루할 틈이 없다.

어느새 버스는 잠실 롯데월드에 이른다. 풀쩍 뛰어내려 동심으로 돌아가 신밧드의 모험 라이드를 즐기고 싶다. 버스는 어느새 서울아산병원을 돌아 달린다. 필자의 친형이 오랫동안 병석에서 사느냐 죽느냐 생사를 헤맸던 곳. 벌써 6년이 지났지만, 꾸역꾸역 그때의 기억을 토해 내 놓는다.

차내는 승객들로 혼잡하다. 시내버스가 하나만 운행하는 노선이라 타고 내리는 승객들로 항시 만원이란다. 천호역 반환점에 이르자 우르르 모든 승객이 하차한다. 지하철로 환승하는 승객들이 지상과 지하를 오르내린다. 이 정류장은 재래시장을 끼고 있어 언제나 사람들이 붐빈다. 서민은 재래시장이다. 어디 선술집에 들여 시원한 막걸리 한 사발에 빈대떡이라도 먹고 싶다. 이글을 보는 독자들도 이 노선버스를 한 번씩 경험해 보기를 권장한다.

서울 시내버스는 현재 약 420개의 노선을 운행하고 있다. 이 노선들은 서울시 전체를 아우르며, 어느 곳에서든지 버스를 이용해 원하는 목적지에 도착할 수 있다. 이런 점에서 서울 시내버스는 지역 사회의 연결고리 역할을 한다. 사람들이 집에서 일터로, 학교에서 친구의 집으로, 도서관에서 공원으로 이동할 수 있게 해주는 것은 바로 시내버스다.

또한, 서울 시내버스는 시민들에게 경제적인 이동 수단을 제공한다. 특히 저소득층에게는 시내버스가 가장 중요한 교통수단이다. 이들에게 버스는 일상생활을 유지하는 데 필수적인 수단이며, 이를 통해 도시의 다양한 기회와 자원에 접근할 수 있다.

이렇듯 서울 시내버스는 도시 전체의 연결고리 역할을 하며, 시민들에게 경제적인 이동 수단을 제공한다. 그리고 이는 서울 시내버스의 중요성을 나타내는 대표적인 예이다. 앞으로도 서울 시내버스는 이 도시의 풍경을 담아내는 중요한 수단으로, 그 변화와 발전을 이어가며 시민들에게 필수적인 서비스를 제공할 것이다.

서울 시내버스는 도시의 교통수단 중 하나이지만, 그 중요성과 영향력은 다른 어떤 교통수단보다도 크다고 말할 수 있다. 그 이유는 버스가 이 도시의 모든 구석구석을 연결하고, 그 과정에서 다양한 사람들과 이야기, 그리고 풍경을 만나게 해주기 때문이다.

버스는 도시의 도로를 따라 다양한 장소를 연결한다. 그 과정에서 우리는 버스 창문 너머로 보이는 도시의 풍경을 만나게 된다. 그 풍경은 건물, 가로등, 나무, 사람들로 이루어져 있지만, 그것들이 모여 하나의 도시, 서울을 이루고 있다. 그리고 그 풍경을 가로지르는 도로 위에는 버스가 있다.

버스 안에서 만나는 사람들도 이 도시의 풍경을 이루는 중요한 요소이다. 학생, 직장인, 노인, 외국인 등 다양한 배경을 가진 사람들이 버스 안에서 만나게 된다. 그들 각각이 이 도시에서 살아가는 이야기를 가지고 있으며, 그 이야기들이 모여 이 도시의 이야기를 이루고 있다.

이렇게 버스는 우리에게 도시의 풍경을 만나게 해주는 동시에, 그 풍경 속에서 이루어지는 다양한 이야기를 들려주는 매개체의 역할을 한다. 그리고 그것이 가능한 것은 버스가 이 도시의 모든 곳을 연결하고, 그 과정에서 다양한 사람들과 풍경을 만나게 해주기 때문이다.

그런 의미에서 서울 시내버스는 단순히 교통수단이라는 이상의 역할을 하고 있다. 그것은 이 도시를 가로지르는 연결고리이자, 이 도시의 풍경을 만나게 해주는 창이다. 그리고 그것은 이 도시에서 살아가는 우리에게는 없어서는 안 될 존재다.

서울 시내버스의 이야기는 여기서 끝나지 않는다. 앞으로도 이 도시를 가로지르는 버스는 계속해서 변화와 발전을 이어가며, 그 도시의 풍경을 담아낼 것이다. 그리고 그 풍경은 서울이라는 도시의 이야기를 이어가는 또 다른 이야기가 될 것이다. 그런 의미에서 서울 시내버스의 이야기는 끝이 없는 이야기다.

이제 우리는 이 책을 통해 서울 시내버스의 변화와 발전을 함께 보며 그것을 통해 서울이라는 도시의 풍경을 다시 한번 바라보게 될 것이다. 그리고 그 도시의 풍경을 통해 우리의 일상을 다시 한번 되돌아보게 될 것이다. 그런 경험은 어떤가?

서울 시내버스의 변화와 발전:
과거에서 현재까지

　서울 시내버스는 시간이 흐르며 눈에 띄게 변화하고 발전해 왔다. 필자가 고등학교 다닐 때의 모습과 비교하면 현재의 시내버스는 거의 다른 세계에서 온 것처럼 느껴진다. 그 당시 시내버스에는 안내양이 탑승해 있었고, 버스는 대부분 학교와 회사로 출퇴근하는 사람들로 가득 찼다. 어떤 때는 버스 안이 너무 붐벼서 문이 제대로 닫히지 않을 정도였다. 그리고 이는 단순히 승객 수의 문제만이 아니었다. 당시의 버스는 좌석마다 재떨이가 설치되어 있었다는 점에서 오늘날과 크게 다르다. 이는 승객들이 차내에서 담배를 피울 수 있었다는 사실을 의미한다. 안내양은 차비를 받고, 승객이 승하차하는 것을 돕는 역할을 했다.

　1945년 10월, 한국이 해방된 직후에 처음으로 운행된 서울의 첫 번째 버스 노선은 서울역에서 출발해 숭례문을 거쳐 종로, 창신동, 그리고 동묘까지 이어지는 노선이었다. 그 당시의 버스는 개방형으로, 간단한 비닐로만 덮여 있어 현대의 버스와는 매우 다른 모습을 보여주었다. 그러나 이것이 바로 우리가 알고 있는 서울 시내버스의 출발점이 었으며, 차량의 기술적 개선과 함께 노선도 점차 확대되며 발전하였다.

70년대에 접어들며 서울 시내버스는 새로운 변화의 시기를 맞이하게 되었다. 그것은 바로 버스의 색상에 대한 변화였다. 그전까지는 단일 색상이었던 버스가, 이 시기부터는 노선별로 다른 색상을 띠게 되었고, 이는 시민들에게 노선을 쉽게 구별할 수 있는 기회를 제공하였다. 또한, 이 시기부터는 버스 내부에 에어컨을 설치하기 시작하였고, 이는 시민들에게 편의를 제공하였다.

90년대에 접어들며 서울 시내버스는 한층 더 진화하였다. 그것은 바로 스마트카드 시스템의 도입이었다. 이 시스템의 도입으로 버스 이용이 훨씬 더 편리해지는 한편, 노선 정보를 실시간으로 제공하는 서비스도 시작되었다. 이러한 변화는 서울 시내버스를 새로운 시대로 끌어냈다.

이렇게 수십 년 동안 서울 시내버스는 꾸준히 변화하고 발전해 왔다. 먼저, 차내에서의 흡연이 엄격히 금지되면서 버스 내부의 공기 질이 크게 개선되었다. 안내양의 역할은 점차 사라지고, 그 자리는 자동화된 요금 징수 시스템이 차지했다. 이로 따라 운전기사는 운전에 더욱 집중할 수 있게 되었고, 승차권 관리의 효율성도 크게 향상되었다.

또한, 서울 시내버스의 물리적인 측면에서도 상당한 변화가 있었다. 오늘날의 버스는 에어컨, 난방 시스템, TV, 무료 Wi-Fi 등 승객의 편의를 위한 다양한 기능을 갖추고 있다. 장애인을 위한 저상버스의 도입은 모든 시민이 동등하게 대중교통을 이용할 수 있도록 하는 중요한 발전이었다.

더 나아가, 서울 시내버스의 운영 시스템은 지속해서 최신화되고 있다. 실시간 버스 도착 정보 시스템은 승객들이 효율적으로 여행 계획을 세울 수 있게 해주며, 이는 대중교통의 편리성을 한층 더 높이는 요소가 되었다. 또한, 환경 보호 차원에서 전기버스와 같은 친환경 버스의 도입은 서울 시내버스가 나가고 있는 또 다른 중요한 방향을 보여준다.

현재의 서울 시내버스는 최신 기술이 적용된 스마트 버스로, 이전의 버스와는 비교할 수 없는 편의성을 자랑한다. 승객들은 스마트폰을 통해 버스 도착 시간을 확인할 수 있으며, 버스 내부에는 무선 인터넷이 제공되고 있다. 또한, 장애인을 위한 저상버스와 노약자를 위한 노인버스 등 다양한 종류의 버스가 운행되고 있어, 모든 시민이 동등하게 버스를 이용할 수 있도록 노력하고 있다.

서울 시내버스의 변화와 발전은 서울이라는 도시의 변화와 발전을 그대로 반영한 것이다. 그리고 그 변화와 발전은 앞으로도 계속될 것이다. 이 도시가 계속해서 발전하고 성장하듯, 서울 시내버스도 그 발전과 성장을 함께 하며 앞으로도 시민들에게 편의를 제공할 것이다. 그리고 그 과정에서 서울이라는 도시의 풍경을 계속해서 담아낼 것이다.

그렇다면, 서울 시내버스의 미래는 어떤 모습일까? 이미 여러 곳에서는 전기버스가 도입되어 있으며, 자율주행 버스의 개발도 진행 중이다. 현재로서는 그런 기술이 일상적으로 보긴 어렵지만, 앞으로 몇 년 안에는 그런 모습이 우리 곁에서 당연하게 볼 수 있을지도 모른다. 그런 변화를 이끌어낼 것은 바로 서울 시내버스일 것이다.

이렇게 변화하고 발전하는 서울 시내버스, 그리고 그것을 통해 담아내는 서울이라는 도시의 풍경. 그것은 우리의 일상에 깊숙이 녹아있는 존재이며, 동시에 우리의 일상을 이루는 중요한 요소이다. 그래서 이 책을 통해 서울시내버스의 변화와 발전을 살펴보는 것은, 사실 우리의 일상을 되돌아보는 것과 다름없다. 그런 의미에서 이 책은 우리 일상의 기록이기도 하다.

결론적으로, 서울 시내버스의 변화와 발전은 시민들의 삶의 질을 향상하는 데 중요한 역할을 해왔다. 과거와 비교할 때 현재의 시내버스는 더욱 편안하고, 접근하기 쉬우며, 효율적이다.

이러한 변화는 서울이 세계적인 수준의 대중교통 시스템을 갖춘 도시로 발전하는 데 기여하고 있다. 이런 발전은 단순한 편의성의 증대를 넘어서, 서울 시민들의 일상생활에 긍정적인 영향을 미치고 있다. 대중교통을 이용하는 시민들은 더 이상 무거운 교통체증이나 차내에서의 불쾌한 경험에 시달리지 않게 되었다. 대신, 그들은 이제 편안하고 안전하며 친환경적인 교통수단을 통해 목적지에 도달할 수 있다.

서울 시내버스의 발전은 또한 도시의 대기질 개선에도 기여하고 있다. 전기버스와 같은 친환경 버스의 도입은 화석 연료에 의존하는 교통수단에서 발생하는 이산화탄소 배출량을 줄이는 데 중요한 역할을 한다. 이는 서울이 지속 가능한 도시로 나아가는 데 있어 중요한 단계이며, 기후 변화에 대응하는 글로벌 노력에 기여한다.

더불어, 서울 시내버스의 지속적인 개선은 도시의 포용성을 증대시키는 데에도 중요한 역할을 한다. 저상버스와 같은 장애인 친화적인 교통수단의 도입은 모든 시민이 도시의 자원에 동등하게 접근할 수 있도록 보장한다. 이는 사회적 약자가 겪는 불편함을 줄이고, 모두가 도시 생활의 혜택을 누릴 수 있는 더 공정한 사회로 나아가는 길을 제시한다.

이처럼 서울 시내버스의 변화와 발전은 단지 교통 시스템의 효율성을 넘어서 사회적 포용성, 환경 보호, 그리고 도시의 지속 가능성을 향상하는 방향으로 이루어지고 있다. 이러한 변화들은 서울이 세계적인 메트로폴리스의 지위를 확립하는 데 중요한 역할을 하며, 동시에 서울 시민들의 삶의 질을 지속해서 개선해 나가고 있다.

서울 시내버스의 이야기는 단순한 교통수단의 진화를 넘어서, 한 도시가 어떻게 시민들의 요구에 부응하며, 환경적 책임을 지고, 모든 이들에게 동등한 서비스를 제공하려는 노력의 하나로 볼 수 있다. 이는 우리에게 도시가 나아가야 할 방향과 도시 계획이 지향해야 할 가치에 대해 중요한 통찰을 제공한다. 서울 시내버스의 발전은 계속될 것이며, 그 과정에서 더욱 새로운 변화와 혁신을 기대할 수 있다.

서울 시내버스의 이야기는 여기서 끝나지 않는다. 앞으로도 이 도시를 가로지르는 버스는 계속해서 변화와 발전을 이어가며, 그 도시의 풍경을 담아낼 것이다. 그리고 그 풍경은 서울이라는 도시의 이야기를 이어가는 또 다른 이야기가 될 것이다. 그런 의미에서 서울 시내버스의 이야기는 끝이 없는 이야기이다.

이제 우리는 서울 시내버스의 변화와 발전을 함께 보며, 그것을 통해 서울이라는 도시의 풍경을 다시 한번 바라보게 될 것이다. 그리고 그 도시의 풍경을 통해 우리의 일상을 다시 한번 되돌아보게 될 것이다. 그런 경험은 어떤가?

노선의 다양성

    서울의 도로 위, 무수히 펼쳐진 노선들이 이곳저곳을 이어주는 생명줄 같다. 이 도시의 시내버스 노선은 단순한 이동 수단을 넘어, 서울이라는 거대한 살아있는 조직의 혈관과도 같다. 버스 한 대 한 대가 도시의 심장을 뛰게 하고, 그 노선의 다양성은 서울이라는 도시의 다채로운 면모를 반영한다.

    어디든 갈 수 있는 노선의 다양성은 시내버스의 큰 장점 중 하나다. 서울 시내를 살펴보면, 420개 이상의 노선이 있어 한두 번만 갈아타면 원하는 장소에 도달할 수 있다. 이는 단순히 편리함을 넘어, 이 도시의 접근성과 연결성을 극대화한다. 각각의 버스 노선은 마치 서울이라는 거대한 미로 속에서 나침반 역할을 하며, 우리를 목적지로 안내한다.

    버스 노선의 다양성은 서울의 거리마다 다른 색깔과 생명력을 느낄 수 있게 해준다. 북적이는 명동의 번화가부터, 한적한 한강의 공원까지, 서울은 다양한 얼굴을 가지고 있다. 그리고 그 모든 곳으로 우리를 이끄는 것이 바로 시내버스다. 버스 창밖으로 펼쳐지는 서울의 풍경은 마치 도시의 다채로운 이야기들을 들려주는 듯하다.

또한, 시내버스 노선의 다양성은 사람들을 서로 연결하는 중요한 역할을 한다. 다양한 배경과 이야기를 가진 사람들이 같은 목적지를 향해 함께 여행한다. 이는 서로 다른 삶의 조각들이 모여 하나의 커다란 그림을 만들어 가는 과정과도 같다. 서울이라는 도시는 시내버스를 통해 더욱 밀접하게 얽혀 있으며, 이는 도시의 사회적 연결망을 강화한다.

시내버스 노선의 다양성은 서울을 더욱 포용적인 도시로 만든다. 어느 사람도 배제되지 않는, 모든 사람이 도시의 일부가 될 수 있는 공간을 제공한다. 이는 도시의 포괄성과 다양성을 증진하며, 모든 이가 도시의 다채로운 면모를 경험할 수 있게 한다.

이처럼 서울 시내버스 노선의 다양성은 단순한 이동의 편리함을 넘어, 도시의 접근성, 연결성, 그리고 포용성을 상징한다. 그리고 이 모든 것이 서울을 더욱 살기 좋은, 연결된, 그리고 다채로운 도시로 만든다. 시내버스를 타고 서울의 거리를 여행하다 보면, 이 도시가 가진 무한한 가능성과 다양성을 직접 체감할 수 있다. 서울의 시내버스 노선을 따라 이동하는 것은 마치 새로운 세계로 여행과도 같다. 각기 다른 노선은 서로 다른 이야기와 문화, 생활의 향기를 가지고 있으며, 이를 통해 서울이라는 도시의 복잡미묘한 질감을 느낄 수 있다. 서울의 시내버스는 단지 목적지에 도달하는 수단이 아니라, 도시의 다양한 삶과 문화를 경험하게 하는 매개체다.

서울의 각기 다른 지역을 연결하는 수많은 노선은, 도시의 과거와 현재, 미래를 이어주는 중요한 역할을 한다. 역사적인 궁궐과 현대적인 빌딩이 공존하는 서울에서, 시내버스는 시간을 넘나드는 여행을 가능하게 한다. 오래된 골목길에서부터 최신의 상업지구까지, 서울의 다양한 얼굴을 만날 수 있는 것이다. 이러한 경험은 서울이라는 도시가 간직한 다양한 시간의 층위를 이해하는 데 도움을 준다.

서울의 시내버스 노선이 제공하는 또 다른 매력은, 일상에서의 작은 모험이다. 버스에 몸을 싣고 잘 알려지지 않은 지역으로 무작정 떠남은, 일상에서의 탈출을 제공하며 새로운 발견과 경험을 선사한다. 이는 도시의 주민으로 하여금 자신이 사는 곳에 대한 새로운 시각과 가치를 발견하게 만든다. 또한, 이러한 탐험은 서울이라는 도시의 무한한 가능성을 상기시켜 준다.

시내버스 노선의 다양성은 서울이라는 도시의 포용력을 상징한다. 모든 사람이 자유롭게 이용할 수 있는 시내버스는, 사회적, 경제적 배경과 관계없이 모든 시민이 도시를 자유롭게 탐험할 수 있는 기회를 제공한다. 이는 서울이라는 도시가 갖는 포용적인 가치와 비전을 반영한다. 서울의 시내버스 노선은 단순한 교통수단을 넘어, 도시의 모든 구성원이 함께하는 공동체의 일부임을 상기시켜 준다.

결국, 서울의 시내버스 노선의 다양성은 이 도시의 정체성과 밀접하게 연결되어 있다. 이는 서울이라는 도시가 가진 다양성, 연결성, 포용성을 상징하며, 도시와 그 구성원들이 함께 성장하고 발전해 나가는 데 중요한 역할을 한다. 서울의 시내버스를 통해, 우리는 이 도시의 다채로운 색채와 무한한 가능성을 경험할 수 있다. 그리고 그것은 바로 서울이라는 도시가 우리에게 제공하는 가장 소중한 선물 중 하나다.

이러한 다양성의 바탕 위에서, 서울의 시내버스 노선은 끊임없이 변화하고 발전해 나가는 도시의 모습을 반영한다. 새로운 도시 계획과 발전에 따라, 노선은 조정되고 새로운 경로가 추가되기도 한다. 이는 서울이라는 도시가 현재에 안주하지 않고 미래를 향해 나아가고자 하는 의지의 표현이다. 도시의 발전과 함께 성장하는 시내버스 노선은, 서울이라는 도시가 지속 가능한 발전을 추구하며, 모든 시민에게 더 나은 삶의 질을 제공하고자 하는 약속을 상징한다.

또한, 시내버스 노선의 다양성은 서울이라는 도시의 문화적 풍경에도 영향을 미친다. 버스를 타고 이동하며 만나는 도시의 다양한 지역은 각각 독특한 문화와 예술을 품고 있다. 서울 곳곳에 펼쳐진 갤러리, 공연장, 카페, 그리고 시장들은 시내버스 노선을 따라 쉽게 접근할 수 있으며, 이는 도시의 문화적 다양성과 창의성을 더욱 풍부하게 한다. 시내버스는 단순히 목적지로의 이동 수단이 아니라, 서울이라는 도시의 문화와 예술을 탐험하는 여정의 시작점이 되어준다.

서울의 시내버스 노선은 이처럼 도시의 물리적, 사회적, 문화적 풍경을 연결하는 중요한 역할을 한다. 이는 서울이라는 도시가 단순한 공간을 넘어, 살아 숨 쉬는 생명체로서의 면모를 드러낸다. 시내버스를 타고 서울의 거리를 여행하다 보면, 도시의 다양한 모습과 그 속에서 살아가는 사람들의 이야기에 접근할 수 있다. 이는 서울이라는 도시를 더 깊이 이해하고, 그 속에서의 우리 자신의 위치를 성찰할 기회를 제공한다.

서울의 시내버스 노선의 다양성은 결국, 도시와 그 구성원들 사이의 대화이자, 서로를 이해하고 연결하는 과정이다. 이를 통해 서울은 더 포용적이고, 연결된, 그리고 창의적인 도시로 거듭날 수 있다. 시내버스의 창문 너머로 펼쳐지는 서울의 풍경을 바라보며, 우리는 이 도시가 가진 무한한 가능성과 다양성을 다시 한번 확인하게 된다. 서울의 시내버스 노선은 그저 이동의 수단이 아닌, 도시와 그 안에서 살아가는 우리 모두의 이야기를 담고 있는 캔버스다.

　도시의 다양성은 그것을 구성하는 다양한 요소들의 조합에서 나오는 특징이다. 이는 도시의 각 구성요소가 다양한 기능과 색다른 특성을 가지고 있음을 의미한다. 이러한 다양성은 도시의 삶을 풍요롭게 만드는 데 크게 기여하며, 도시의 성장과 발전을 촉진하는 중요한 역할을 한다. 이런 맥락에서 보면, 버스 노선의 다양성은 이 도시의 다양성을 반영하는 중요한 요소 중 하나로 볼 수 있다.

　그러나, 버스 노선의 다양성을 더욱 향상하기 위한 노력은 계속되어야 한다. 더 많은 노선이 추가되어야 하며, 각 노선의 효율성이 개선되어야 한다. 이를 통해 도시의 접근성을 더욱 높이고, 도시생활자들의 삶의 편의성을 더욱 향상하는 데 기여할 것이다.

　이처럼 버스 노선의 다양성은 도시의 다양성을 반영하고, 도시의 접근성과 생활자들의 삶의 편의성을 높이는 중요한 역할을 한다. 이를 통해 우리는 도시의 다양성이 어떻게 그것을 이루는 구성 요소들의 다양성에서 나오는지, 그리고 이것이 어떻게 도시의 성장과 발전을 촉진하는지 이해할 수 있다. 이러한 이해는 우리가 도시의 문제를 더욱 효과적으로 해결하는 데 도움이 될 것이다. 이는 버스노선의 다양성이 도시의 생활 패턴, 사회 구조, 그리고 경제 활동에 어떻게 영향을 미치는지 파악하는 것이 결국 도시의 성장과 발전을 이해하는 데 중요한 열쇠가 된다.

버스 노선의 다양성은 도시의 생활 패턴에 큰 영향을 미친다. 다양한 노선을 통해 도시의 이곳저곳에 접근할 수 있게 되면, 도시생활자들은 자신들의 삶을 더욱 다양하게 구성할 수 있다. 즉, 자신들의 취미나 흥미에 따라 다양한 공간을 이용하거나, 새로운 경험을 쌓는 데 필요한 다양한 장소에 쉽게 접근할 수 있다는 것이다. 이는 도시생활자들의 삶의 질을 높이는 데 기여하며, 도시의 생동감을 유지하는 데도 큰 역할을 한다.

마지막으로, 버스 노선의 다양성은 도시의 경제 활동에도 영향을 미친다. 다양한 노선을 통해 도시의 주요 상업 지역, 산업 지역, 그리고 주거 지역을 효과적으로 연결함으로써, 도시의 경제 활동에 필요한 이동성을 제공한다. 이는 도시의 경제 성장을 촉진하고, 도시의 경제적 안정성을 유지하는 데 중요한 역할을 한다.

이처럼, 버스 노선의 다양성은 도시의 다양성을 반영하며, 도시의 생활 패턴, 사회 구조, 그리고 경제 활동에 영향을 미친다. 이를 통해 우리는 도시의 다양성이 어떻게 그것을 이루는 구성 요소들의 다양성에서 발현되며, 그리고 이것이 어떻게 도시의 성장과 발전을 이끄는지 이해할 수 있다. 이러한 이해는 우리가 도시의 문제를 더욱 효과적으로 해결하고, 도시의 발전을 촉진하는 데 필요한 전략을 세우는 데 도움이 될 것이다.

교통체증과 버스전용 차로

　서울, 이 도시는 끊임없이 움직이고 변화하며 성장한다. 그러나 이러한 성장과 발전은 때로는 교통 체증이라는 문제를 야기하기도 한다. 교통 체증은 도시의 효율성을 저해하고, 시민들의 일상을 방해하며, 환경 문제를 악화시키는 주요 원인 중 하나다. 이 문제를 해결하기 위해 도입된 것이 바로 버스 우선도로와 버스전용 차로다.

　서울의 아침은 언제나 분주하다. 사람들은 하루를 시작하는 기운으로 거리를 채우고, 차들은 도로 위를 장악한다. 어느 날 이러한 도시의 아침을 배경으로, 둘째 딸아이의 운전면허 취득 후 첫 도전이 펼쳐졌다. 아이는 새로운 자유와 도전의 상징인 승용차의 핸들을 잡고 서울 시내로 향했다. 하지만, 여정은 예상치 못한 곳에서 큰 난관에 부딪혔다.

　딸이 마주한 고난은 바로 '버스전용 차로'였다. 도로 위의 수많은 차선 중 하나이지만, 그 의미와 존재는 아이에게 아직 생소했다. 실수로 그 차선으로 들어서며, 금세 자신의 선택이 잘못되었음을 깨달았다.

버스전용 차로는 그 이름에서 알 수 있듯, 버스를 위한 공간이다. 이 차선은 교통 체계 속에서 버스의 효율적인 운행을 보장하며, 대중교통의 원활한 이동을 위한 중요한 역할을 한다.

하지만, 그 순간 딸은 그 차선에서 오도 가도 못하는 상황에 부닥쳤다. 뒤따르는 차들의 경적은 혼란과 긴장을 더 했고, 자신의 실수로 인해 발생한 상황에 크게 당황했다. 이 경험은 딸에게 단순한 실수 이상의 교훈을 주었다. 그것은 도로 위의 규칙과 질서, 그리고 그것을 존중하는 것의 중요성을 깨닫게 했다.

이 에피소드는 교통 체계와 버스전용 차로의 중요성을 다시금 생각하게 만든다. 도시 교통의 효율성과 대중교통 시스템의 원활한 운영은 이러한 구조적인 배려 없이는 불가능하다. 버스전용 차로는 단순히 버스를 위한 공간이 아니라, 도시 교통의 흐름을 유지하고, 교통 체증을 완화하는 데 핵심적인 역할을 한다.

버스우선 도로와 버스전용 차로는 도시의 교통 체증을 해결하기 위한 효과적인 방법이다. 이들은 버스에 우선으로 도로를 사용할 수 있는 권리를 부여하며, 이를 통해 버스의 운행 속도와 정시성을 향상하는 역할을 한다. 이러한 개선은 버스 이용객에게 직접적인 혜택을 제공하며, 도시 전체의 차량 흐름을 원활하게 만들어준다.

이런 버스우선 도로와 버스 전용차로의 도입은 서울시의 교통 문제 해결에 큰 도움이 되었다. 교통 체증으로 인한 시간 낭비가 줄어들었고, 버스 운행의 정시성이 향상되어 버스 이용객의 만족도가 많이 증가했다. 또한, 버스를 이용하는 사람들의 수가 증가함에 따라 자동차 이용이 줄어들어 대기오염 문제도 일정 부분 해결되었다.

특히, 버스 우선도로와 버스전용 차로는 서민들에게 큰 혜택을 제공했다. 버스를 이용하는 사람들 대부분은 서민들로, 그들에게 버스는 주요 교통수단이다. 따라서 버스의 운행 향상은 그들의 출퇴근 시간을 단축하고, 그들의 삶의 질을 향상하는 데 큰 도움이 되었다.

그러나 이런 버스 우선도로와 버스전용 차로의 도입은 쉽지 않은 과정이었다. 다양한 이해관계와 교통 문화의 변화, 그리고 도로 공간의 재배치 등 많은 과제를 해결해야 했다. 그런데도 불구하고 이러한 노력은 결국 성공적으로 이뤄졌고, 이를 통해 서울시의 교통 문제는 크게 개선되었다.

이렇듯 버스 우선도로와 버스전용 차로는 도시의 교통 체증 문제를 해결하는 데 큰 도움이 되었다. 이를 통해 서울시는 교통 문제의 해결책을 찾아내고, 도시의 효율성과 시민들의 삶의 질을 향상하는 방향으로 발전하고 있다. 이것은 서울시가 교통 문제에 대한 새로운 접근방식을 통해 도시의 발전을 이끌어가는 좋은 예시이다.

딸아이의 이야기는 우리에게 하나의 교훈을 전한다. 그것은 도로 위의 규칙과 질서가 개인의 편의를 넘어서, 공공의 이익과 효율을 위해 존재한다는 것이다. 우리가 모두 이러한 규칙을 이해하고 존중할 때, 보다 원활하고 안전한 도로 환경이 조성될 것이다. 그리고 이것이야말로 우리가 지향해야 할 교통 문화의 이상이 아닐까.

앞으로도 서울시는 버스 우선도로와 버스전용 차로 등 다양한 교통 개선책을 통해 교통 체증 문제를 해결하고, 도시의 효율성과 시민들의 삶의 질을 더욱 향상하는 데 노력할 것을 기대한다. 그런 노력을 통해야 서울은 더욱 발전하고 성장하는 미래 도시로 거듭나게 될 것이다.

시내버스의 접근성과 편의성

도시의 생명력은 그곳에 거주하는 사람들의 활동과 움직임에서 발생한다. 이들의 움직임은 도시를 활기차게 만들고, 도시의 이곳저곳을 오가는 사람들 속에서 시내버스는 중요한 역할을 수행하고 있다. 이들의 주된 이동 수단인 시내버스는 그들의 일상생활과 밀접하게 연결되어 있다. 이런 맥락에서 볼 때, 시내버스의 접근성과 편의성은 도시생활자들의 삶의 질에 큰 영향을 미치는 중요한 요소다.

시내버스의 접근성은 도시의 모든 지역에 버스 정류장이 설치되어 있어, 어디에서나 쉽게 버스를 이용할 수 있다는 점에서 뛰어나다. 이는 특히 이동이 어려운 노인이나 장애인 등에게는 더욱 중요한 요소다. 이들에게 버스는 일상생활을 유지하는 데 필수적인 교통수단이며, 그들의 이동을 보조하는 중요한 도구로 작용한다. 이렇게 시내버스는 이들에게 도시의 다양한 공간을 이용할 수 있는 기회를 제공하며, 그들의 삶의 질을 높여준다.

그리고 시내버스의 편의성은 그 내부에 설치된 다양한 편의시설과 서비스를 통해 보장된다. 편안한 좌석, 깨끗한 내부, 에어컨과 난방 시설, 무료 와이파이 등 다양한 편의시설은 버스 이용객에게 편안한 여행을 제공한다. 또한, 실시간 버스 도착 정보를 제공하는 앱과 버스 정류장의 전광판은 버스 이용객에게 정보를 제공하여 편리함을 높여준다. 이런 편의시설과 서비스는 버스 이용객의 만족도를 높이며, 그들의 여행을 더욱 즐겁게 만들어 준다.

그러나, 시내버스의 접근성과 편의성을 더욱 향상하기 위한 노력은 계속되어야 한다. 버스 정류장의 접근성을 높이기 위해 더 많은 버스 정류장이 설치되어야 하며, 버스의 신뢰성을 보장하기 위해 버스의 정시성을 높이는 노력이 필요하다. 또한, 시내버스의 편의성을 높이기 위해 더 다양한 편의시설과 서비스가 제공되어야 한다.

시내버스의 접근성과 편의성을 높이는 것은 도시의 모든 이들에게 이점을 제공한다. 이는 도시의 접근성을 높이고, 도시생활자들의 삶의 질을 향상하며, 도시의 성장과 발전에 기여한다. 따라서 시내버스의 접근성과 편의성을 높이는 노력은 계속되어야 한다는 것이다.

시내버스의 접근성과 편의성에 대해 더욱 깊이 이해하게 되면, 우리는 이것이 도시의 생활 패턴, 사회적 동등성, 그리고 환경 지속 가능성과 어떻게 연결되어 있는지 보게 된다.

특히, 접근성은 교통 서비스가 모든 사람에게 공평하게 제공되어야 함을 의미한다. 이는 사회적 동등성을 추구하는 데 중요한 요소다. 또한, 접근성은 도시의 다양한 지역으로 이동을 가능하게 하여, 도시의 생활 패턴을 형성하는 데 중요한 역할을 한다. 이는 도시의 다양한 기능과 서비스를 이용할 수 있게 하여, 도시의 활기를 유지하는 데 기여한다.

한편, 시내버스의 편의성은 버스를 이용하는 경험을 향상하는 데 중요하다. 편의성은 버스 이용객이 그들의 여행을 즐길 수 있게 하며, 그들의 만족도를 높인다. 이는 버스 이용을 더욱 증가시키는 결과를 가져와, 교통체증을 줄이고, 대기오염을 감소시키는 데 기여한다. 이는 환경 지속 가능성을 추구하는 데 중요한 요소다.

따라서, 시내버스의 접근성과 편의성을 높이는 노력은 도시의 생활 패턴, 사회적 동등성, 그리고 환경 지속 가능성을 향상하는 데 기여한다. 이는 우리의 도시를 더욱 건강하고, 생동감 넘치고, 지속 가능한 곳으로 만드는 데 필요한 중요한 요소다.

시내버스의 접근성과 편의성을 높이는 노력은 그저 버스 서비스를 개선하는 것이 아니다. 이것은 우리 도시의 미래를 형성하는 데 중요한 역할을 하는 것이다. 그리하여, 이러한 노력은 계속되어야 한다. 이를 통해 우리는 우리 도시를 더욱 건강하고, 생동감 넘치고, 지속 가능한 곳으로 만들 수 있다. 이것은 우리 모두의 삶의 질을 향상하는 데 기여하며, 우리 도시의 미래를 밝게 만드는 데 중요한 역할을 한다.

공공 교통의 중심, 시내버스의 역할

공공 교통 체계 내에서 시내버스가 차지하는 역할은 매우 중요하며, 이는 단순히 사람들을 한 장소에서 다른 장소로 옮기는 것을 넘어선다. 시내버스는 도시의 심장과도 같아, 그 운행은 도시의 생명력을 유지하고, 사람들의 일상생활에 필수적인 역할을 한다. 나는 이 글을 통해 시내버스가 공공 교통 체계에서 어떤 중요한 역할을 하는지, 그리고 그것이 개인과 사회에 어떤 영향을 미치는지에 대해 탐구하고자 한다.

첫째로, 시내버스는 접근성을 제공한다. 모든 사람이 자동차를 소유하고 있지 않으며, 특히 도시의 저소득층 사람들에게는 그러하다. 이들에게 시내버스는 일터, 학교, 병원 등 필수적인 장소로의 이동 수단을 제공한다. 또한, 시내버스는 장애인, 노인 등 이동이 불편한 사람들에게도 중요한 이동 수단이다. 이처럼 시내버스는 모든 시민이 도시의 자원과 기회에 접근할 수 있도록 보장함으로써, 사회적 포용성을 증진한다.

둘째로, 시내버스는 환경 보호에 기여한다. 개인용 자동차의 사용이 줄어들면, 그만큼 대기 오염과 온실가스 배출이 감소한다. 시내버스 한 대는 많은 수의 승객을 수송할 수 있어, 자동차 여러 대가 내뿜는 오염물질을 대체할 수 있다. 따라서, 시내버스의 적극적인 이용은 도시의 공기 질 개선에 중요한 역할을 한다. 이는 도시 거주민의 건강을 보호하고, 기후 변화 완화에 기여하는 효과적인 방법이다.

셋째로, 시내버스는 교통 체계의 효율성을 높인다. 대규모 교통 체증은 도시의 경제적, 환경적 비용을 증가시킨다. 시내버스는 대중이 집중적으로 이동하는 경로에서 고정된 시간표에 따라 운행되므로, 이동 수요를 효과적으로 관리할 수 있다. 또한, 버스 전용 차선과 같은 인프라의 개발은 시내버스의 속도와 신뢰도를 향상해, 더 많은 사람이 자동차 대신 버스를 이용하도록 유도할 수 있다.

넷째로, 시내버스는 도시의 경제 발전에 기여한다. 접근성이 좋은 공공 교통 체계는 노동 시장의 유연성을 증가시키고, 다양한 경제 활동을 가능하게 한다. 또한, 시내버스 서비스의 확장은 관광 산업에도 긍정적인 영향을 미칠 수 있다. 관광객들은 편리하고 저렴한 교통수단을 통해 도시 내 다양한 명소에 쉽게 접근할 수 있기 때문이다. 이로 따라 지역 경제는 활성화되고, 소상공인과 지역 사업체들은 더 많은 수익을 창출할 수 있다.

다섯째로, 시내버스는 도시의 사회적 결속력을 강화한다. 공공 교통을 이용하는 과정에서, 사람들은 다양한 배경을 가진 이웃과 상호작용하게 된다. 이러한 일상적인 상호작용은 사회적 공감대를 형성하고, 공동체 의식을 강화하는 데 기여한다. 또한, 공공 교통 체계에 대한 투자는 도시 계획에서 사회적 포용성과 평등을 우선시하는 정책의 반영으로 볼 수 있다. 이는 모든 시민이 도시 생활의 혜택을 공평하게 누릴 수 있도록 하는 중요한 단계이다.

여섯째, 시내버스는 기술 혁신의 촉매제 역할도 한다. 최근 몇 년 동안, 스마트카드 결제 시스템, 실시간 버스 추적 애플리케이션, 전기 버스와 같은 친환경 차량 도입 등 다양한 기술적 진보가 공공 교통 분야에서 이루어지고 있다. 이러한 혁신은 시내버스 이용의 편리성과 효율성을 향상하며, 이는 다시 이용률 증가로 이어진다. 따라서, 시내버스는 지속 가능한 도시 발전을 위한 기술 혁신의 중심이 될 수 있다.

마지막으로, 시내버스는 도시의 문화적 풍경에도 기여한다. 버스는 도시의 다양한 지역을 연결하며, 이는 문화적 교류와 다양성의 촉진에 기여한다. 버스 안에서의 대화, 버스 정류장에서의 만남 등은 도시 생활의 소소한 일부가 되며, 이는 결국 도시의 사회적 직물을 짜는 데 중요한 역할을 한다.

결론적으로, 시내버스는 단순한 이동 수단을 넘어서 도시의 경제적, 환경적, 사회적 발전에 중요한 역할을 한다. 이러한 이유로, 시내버스와 같은 공공 교통 체계에 대한 지속적인 투자와 혁신은 도시의 지속 가능한 미래를 위해 필수적이다. 시내버스는 모두에게 열린 도시를 만드는 데 핵심적인 역할을 하며, 그 가치는 도시의 발전을 위해 계속해서 재평가되어야 한다.

시내버스 문제점 진단과 개선 방안

　서울 시내버스는 매일 수백만 명에 이르는 시민들이 이용하는 주요한 대중교통 수단이다. 이는 그만큼 시내버스가 우리 사회와 일상생활에 중요한 위치를 차지하고 있음을 의미한다. 그러나 이런 중추적인 역할을 수행하는 서울 시내버스는 여전히 근본적인 문제들에 직면해 있다. 이 문제들은 버스의 접근성, 편의성, 안전성 등 다양한 측면에서 나타나고 있으며, 이를 개선하고 해결하기 위한 적극적인 노력이 필요하다.

　우선, 시내버스의 접근성 문제에 주목해야 한다. 현재 시내버스는 정해진 노선을 따라 운행되는 구조이기 때문에, 일부 지역의 승객들은 버스 정류장까지의 거리가 상당히 멀거나, 원하는 목적지로 가기 위해 불필요하게 여러 번 환승해야 하는 불편함을 겪고 있다. 이는 특히 장애인이나 노약자, 임산부 등 이동이 불편한 승객들에게 큰 어려움으로 작용하며, 이들의 권리와 편의를 저해하고 있다.

두 번째로, 휴일 버스의 운행 시간 및 빈도에 대한 문제가 있다. 어떤 회사의 경우 휴일 버스 운행 시간과 빈도는 평일보다 더 버스가 투입되어 있다. 이는 승객들의 이동 수요를 충분히 반영하지 못하고 있다. 이에 따라 기사들의 휴식 시간과 식사 시간이 부족하다. 또 휴일이라 승객도 없는데 버스가 과도하게 붐비는 문제를 겪고 있다. 이는 인력 낭비와 연료 낭비로, 근무 만족도를 떨어뜨리는 주요 원인이 되고 있다.

 이러한 문제점들을 해결하기 위한 개선 방안은 다음과 같다. 첫째, 접근성을 개선하기 위해 노선 조정과 함께, 소규모 또는 맞춤형 버스 서비스를 도입하여 접근성이 낮은 지역의 승객들에게 서비스를 제공할 수 있다. 둘째, 휴일 및 평일의 운행 시간과 빈도를 승객의 이동 수요에 맞추어 조정하고, 이를 위해 실시간 교통 데이터 분석을 활용할 수 있다. 또한, 기사들의 근무 조건을 개선하여 근무 만족도를 높이는 것도 중요하다.

 결론적으로, 시내버스 서비스의 질을 향상하기 위해서는 접근성, 휴일 운행 시간 및 빈도 문제를 포함한 다양한 측면에서 문제점들을 식별하고, 이에 대한 적극적인 개선

 노력이 필요하다. 이를 위해 시민들의 의견을 수렴하고, 이를 정책에 반영하는 개방적인 접근방식이 요구된다. 또한, 기술적인 발전을 활용하여 서비스의 질을 높이는 것도 중요하다.

 또 버스 기사들의 근무 환경 개선을 위한 노력도 필요하다. 적절한 휴식 시간과 식사 시간을 보장하고, 근무 시간 내내 안전하고 쾌적한 환경을 제공하는 것은 기사들의 근무 만족도를 높이고, 결국 서비스

의 질을 향상하는 데 기여할 것이다. 이는 승객들에게도 긍정적인 영향을 미칠 것이며, 시내버스를 더욱 매력적인 대중교통 수단으로 만들 것이다.

마지막으로, 모든 개선안의 실현을 위해서는 서울시와 버스 운영 회사, 시민들 사이의 긴밀한 협력이 필요하다. 이해당사자 간의 지속적인 소통과 협력을 통해, 서울시내버스는 더욱 안전하고, 편리하며, 친환경적인 대중교통 수단으로 거듭날 수 있을 것이다.

그동안 시내버스 관할 당국은 많은 문제점을 진단하고 보완하여 출퇴근 시간대의 교통 혼잡도는 많이 감소 한 듯하다. 또 노후화된 버스를 신형 친환경 전기버스로 교체하여 환경오염을 줄이고 있다. 또한 저상 버스의 도입을 확대하고, 장애인을 위한 편의시설을 강화해 왔다. 예를 들어, 버스 내에 안내 음성 서비스를 개선하였고, 휠체어를 위한 공간을 확보하는 등의 조치를 하였다.

종합하자면, 시내버스의 현재 문제점들을 진단하고 이에 대한 개선안을 모색하는 것은 단순히 교통 시스템의 개선을 넘어서, 서울이라는 도시의 삶의 질을 높이고, 지속 가능한 미래를 구축하는 데 중요한 과정이다. 이를 위해 서울시는 물론 모든 시민의 관심과 참여가 필요하다.

CH 5
미래 전망

효율적인 시내버스 운영을 위하여

시내버스는 우리의 일상생활에서 필수적인 교통수단의 역할을 담당하고 있다. 도시의 이쪽과 저쪽을 이동하거나, 도심에서 외곽 지역으로 이동을 원할 때, 버스는 우리에게 효율적인 이동 수단을 제공한다. 이는 버스가 교통 체계에서 중추적인 위치를 차지하고 있음을 의미한다. 시내버스 운영의 효율성은 도시의 교통 체계와 밀접한 관련이 있다. 이는 도시의 경제적, 사회적 활동에 직접적인 영향을 미친다. 따라서 효율적인 버스 운영 전략은 단순히 교통 체계의 개선을 넘어서 도시의 지속 가능한 발전에 기여하는 중요한 요소가 된다. 서울 시내버스 운영의 효율성을 높이기 위한 몇 가지 전략을 알아본다.

첫 번째로, 데이터 기반의 동적 노선 조정 시스템의 도입이다. 서울과 같은 대도시에서는 교통 수요가 시간대별, 지역별로 큰 차이를 보인다. 이에 따라 실시간 교통 데이터를 분석하여 버스 노선과 배차 간격을 동적으로 조정함으로써, 수요가 많은 지역과 시간대에는 더 많은 버스를 투입하고, 반대로 수요가 적은 지역과 시간대는 노선을 축소하는 방식이다. 이를 통해 버스 운영의 효율성을 극대화하고, 동시에 승객들의 대기 시간을 줄일 수 있다. 최근 들어 서울 시내버스의 '카카오 그룹채팅방 운영'은 아주 잘한 시스템이라고 볼 수 있다.

두 번째 전략은 승객들의 버스 이용 편의성을 높이기 위한 앱의 활용이다. 이를 위해 첨단 IT 기술을 활용한 사용자 친화적인 버스 관련 앱이 개발되어 활용 중이다. 이 앱은 실시간 버스 위치 정보, 예상 도착 시간, 혼잡도 등을 제공하고 있다. 그러나 실제 현장에서 느껴지는 활용 승객은 그리 많지 않다는 것이다. 더 많은 승객이 보다 쉽고 편리하게 버스를 이용할 수 있도록 홍보가 필요하다. 또한, 모바일 티켓팅 시스템을 도입하여 승차권 구매 및 검증 과정을 간소화함으로써 승객의 만족도를 높일 수 있을 것이다.

세 번째는 친환경 버스 도입을 통한 지속 가능한 운영 전략이다. 환경 문제가 점점 더 중요해지는 현시점에서, 전기버스나 수소 버스와 같은 친환경 버스의 도입은 필수적이다. 이러한 친환경 버스는 대기 오염을 줄이고, 소음을 감소시키는 등의 환경적 이점을 제공한다. 또한, 장기적으로는 유지 보수 비용과 연료 비용을 절감할 수 있어 경제적인 효과도 기대할 수 있다.

마지막으로, 운전기사들의 근무 환경 개선 및 교육에 대한 투자의 중요성을 강조한다. 기사의 직무 만족도와 제공되는 서비스의 품질 사이에는 불가분의 관계가 존재한다. 따라서 기사들의 이미지와 근무 조건을 개선하는 것은 필수적인 작업이다. 이 과정에서 운전기사들 자신의 변화도 요구된다. 승객에 대한 불친절, 난폭운전, 교통법규 무시와 같은 행동은 운전기사의 이미지 개선을 기대할 수 없다. 예를 들면, 비행기 조종사처럼 되고 싶다면 그렇게 변해야 한다는 것이다.

이러한 변화를 위해 정기적인 서비스 교육의 실시는 필수적이다. 이 교육을 통해 운전기사들은 승객들에 대한 서비스 질을 향상하는 방법을 배우게 된다. 이 교육은 형식적인 교육이 아닌 운전기사 본인이 직접 참여하는 진정한 교육이 되어야 한다. 이는 곧 승객 만족도의 증가로 이어진다. 기사들이 승객들에게 보여주는 친절과 배려는 서울 시내버스 이용 경험을 한층 더 향상하는 열쇠가 될 것이다. 이와 같은 전략적 접근은 서울 시내버스 시스템 전반의 서비스 품질을 높이고, 이용객들의 만족도를 극대화하는 데 중요한 역할을 할 것이다.

버스 운영을 효율적으로 만들기 위한 전략은 다양하게 존재하지만, 이 모든 전략의 궁극적인 목표는 승객들의 만족도를 높이는 것이다. 승객들의 만족도는 버스 이용률을 결정하며, 이는 버스 서비스의 지속 가능성을 결정한다. 따라서, 효율적인 버스 운영을 위한 전략은 승객 중심의 접근방식을 바탕으로 해야 한다.

또 효율적인 버스 운영을 위한 전략은 시간이 지나며 변화하는 승객들의 수요와 기술의 발전에 따라 지속해서 수정 및 개선되어야 한다. 이는 버스 서비스가 승객들의 수요를 가장 잘 충족시키고, 최신 기술을 가장 효과적으로 활용하기 위한 필수적인 과정이다.

이처럼, 효율적인 버스 운영을 위한 전략은 다양하며, 이는 버스 서비스의 효율성과 승객들의 만족도를 높이는 데 중요한 역할을 한다. 이러한 전략을 통해 우리는 더 나은 대중교통 서비스를 제공하고, 이를 통해 우리의 삶의 질을 높일 수 있다. 따라서, 이러한 전략에 대한 연구와 노력은 계속해서 이루어져야 할 중요한 과제이다. 승객이 없으면 버스도 없다.

스마트 버스 시스템의 도입

'스마트 시내버스 시스템의 도입'은 단순한 기술의 진보를 넘어, 우리의 일상과 도시의 풍경을 새롭게 조망하는 계기가 되고 있다. 이는 마치 미래 도시의 꿈이 현실로 다가오는 순간을 목격하는 것 같아, 가슴 뛰는 변화의 시작을 알리는 신호탄과도 같다.

서울이라는 거대한 도시는 언제나 삶의 템포가 빠르고, 시민들은 끊임없이 움직인다. 이러한 도시의 역동성 속에서 시내버스는 많은 사람에게 필수적인 이동 수단이다. 하지만 과거의 시내버스 시스템은 종종 불편함과 비효율성의 상징이었다. 버스의 도착 시간은 예측하기 어려웠고, 교통 체증 속에서 버스를 기다리는 것은 일상의 작은 고난이었다.

그러나 스마트 시내버스 시스템의 도입으로 이러한 상황이 점차 변화하고 있다. AI 기술의 적용은 버스의 배차 간격과 운행 시간을 최적화하고, 실시간으로 교통 상황을 반영하여 운행 노선을 조정할 수 있게 했다. 이는 버스를 이용하는 시민들에게 더욱 정확하고 신뢰할 수 있는 서비스를 제공하는 것을 가능하게 한다.

스마트 시내버스 시스템은 또한 대기 시간을 줄이고, 교통 체증을 완화하는 효과를 가져왔다. 이는 곧 탄소 배출량 감소와 같은 환경적 이점으로 이어지며, 도시의 지속 가능한 발전에 기여하고 있다. 승객들은 스마트폰 앱을 통해 버스의 정확한 위치와 도착 예정 시간을 확인할 수 있으며, 이는 일상에서 큰 편리함을 제공한다.

이러한 변화는 단지 교통 시스템의 개선에 그치지 않는다. 스마트 시내버스 시스템의 도입은 우리가 도시를 경험하는 방식에 깊은 영향을 미치고 있다. 기술의 힘으로 시민들의 일상이 더욱 편리해지고, 도시의 효율성이 증가하는 것이다. 이는 곧 서울이라는 도시가 더욱 살기 좋은 곳으로 거듭나는 기회를 제공하며, 우리 모두의 삶의 질을 향상한다.

스마트 시내버스 시스템의 도입은 서울이라는 도시가 미래로 나아가는 중요한 발걸음이다. 이는 기술과 인간 삶의 조화를 모색하는 현대 도시의 이상향을 반영하며, 우리가 더 지능적이고 지속 가능한 도시 생활을 꿈꿀 수 있게 한다. 이러한 진보의 여정에서 스마트 시내버스 시스템은 단지 시작에 불과하다. 이 시스템은 도시 교통의 미래를 재구상하는 기반이 되며, 더 넓은 관점에서 도시의 스마트화를 추진하는 데 중요한 역할을 한다. 기술의 발전은 우리에게 도시를 더 효율적이고, 지속 가능하며, 인간 중심적인 공간으로 만들 수 있는 가능성을 제시한다.

AI와 데이터 분석의 힘을 빌려, 우리는 이제 도시의 복잡한 문제들을 해결할 수 있는 새로운 방법을 모색할 수 있게 되었다. 예를 들어, 교통 체계의 최적화는 더 나아가 에너지 사용의 효율성을 높이고, 대기 오염을 줄이며, 도시의 생활 공간을 더욱 건강하고 쾌적하게 만드는 길을 열어준다. 이는 모든 시민이 더 나은 삶을 누릴 기회를 의미한다.

또한, 스마트 시내버스 시스템은 도시 계획과 관리에 있어서도 새로운 패러다임을 제시한다. 실시간 데이터를 활용하여 도시의 다양한 요구와 문제에 신속하게 대응할 수 있게 되었으며, 이는 도시를 더 유동적이고 반응적인 생태계로 변화시키고 있다. 이러한 변화는 도시를 운영하는 방식뿐만 아니라, 우리가 도시를 인식하고 경험하는 방식에도 근본적인 영향을 미친다.

이 모든 것은 스마트 시내버스 시스템이 단순한 교통 시스템을 넘어서, 보다 광범위한 사회적, 환경적 가치를 창출할 수 있는 플랫폼이 될 수 있음을 보여준다. 기술의 힘을 이용하여 우리의 일상을 개선하고, 도시를 더욱 살기 좋은 곳으로 만드는 것, 그것이 바로 이 시스템이 지향하는 목표다.

결국, 스마트 시내버스 시스템의 도입은 서울이라는 도시가 지속 가능하고, 포용적이며, 연결된 미래를 향해 나아가는 중요한 걸음이다. 이는 우리 모두에게 더 나은 도시 생활을 꿈꾸게 하며, 그 꿈을 현실로 만들기 위한 노력이 이 순간에도 계속되고 있음을 상기시켜 준다. 기술과 인간의 상호작용이 만들어내는, 이 놀라운 여정은 앞으로도 계속될 것이며, 그 과정에서 우리는 더욱 진보된 도시의 모습을 목격하게 될 것이다.

환경오염 문제와 친환경 전기버스로의 전환

지구상의 수많은 도시가 대기오염 문제에 직면하고 있다. 이러한 문제의 주요 원인 중 하나는 도로 운송 수단인 자동차로 인한 배출량이다. 특히, 대중교통 수단인 버스는 이런 대기오염 문제의 주범으로 지목되곤 한다. 이런 상황에서, 친환경 전기버스의 도입은 대기오염 문제 해결의 중요한 한 축으로 부상하고 있다.

전기버스는 디젤 버스와 비교할 때 배출가스가 없는 것이 큰 장점이며, 노이즈도 훨씬 적다. 이는 도시의 대기질을 향상하고, 소음 문제를 해결하는 데 큰 도움이 된다. 또한, 전기버스는 디젤 버스보다 운영 비용이 적게 들어 경제적 이점도 있다. 이러한 이점들은 전기버스의 도입을 더욱 중요하게 만든다.

그러나 전기버스의 대량 도입에는 여러 난관이 도사리고 있다.

첫째, 전기버스를 운영하기 위해선 충전 인프라가 필요하다. 현재의 충전소는 전기버스의 수요를 충족시키기에는 턱없이 부족하다.

따라서 전기버스 도입을 위해선 효율적인 충전 인프라 구축이 필수적이다. 이를 위해선 정부와 기업의 협력이 필요하다.

둘째, 전기버스의 초기 구입 비용은 디젤 버스보다 훨씬 높다. 이에 따라 많은 버스 운영 업체들이 전기버스 도입을 망설이고 있다. 이 문제를 해결하기 위해선 정부의 재정 지원이 필요하며, 전기버스의 생산 비용을 낮추는 기술적 개발이 요구된다. 이러한 문제 해결을 위해선 다양한 분야 전문가들의 노력이 필요하다.

셋째, 전기버스의 운행 거리는 한 번 충전으로 디젤 버스보다 훨씬 짧다. 이는 전기버스가 장거리 노선에 적용하기 어렵다는 문제를 의미한다. 이를 해결하기 위해선 배터리 기술의 향상이 필요하다. 이는 기술의 발전과 연구개발이 필요한 부분이다.

하지만 이런 난관에도 불구하고 전기버스 도입의 중요성은 부각되고 있다. 많은 도시가 이미 전기버스 도입에 성공적으로 나섰으며, 그 결과를 통해 전기버스의 장점을 확인하고 있다. 전기버스 도입은 단순히 환경 문제 해결만이 아니라, 도시의 품질을 향상하고, 국가의 에너지 독립성을 강화하는 등 다양한 이점을 가져다준다.

그러므로, 우리는 전기버스 도입의 중요성을 인식하고 이를 실천해야 한다. 이를 위해선 정부와 기업, 그리고 시민들이 함께 노력해야 한다. 정부는 전기버스 도입을 촉진하는 정책을 마련하고, 기업은 효율적인 전기버스와 충전 인프라를 개발해야 한다. 또한 시민들은 전기버스를 적극적으로 이용하며, 이에 대한 사회적 인식을 높여야 한다.

전기버스의 도입은 단순히 환경 보호라는 한 가지 목표를 넘어서, 우리 사회 전체의 지속 가능한 발전을 위한 필수적인 과제로 부상하고 있다. 전기버스의 도입은 우리 도시의 대기질 향상뿐만 아니라, 에너지 효율과 경제적 이점을 통해 지속 가능한 도시 환경을 구축하는 데 기여할 수 있다.

하지만 이러한 변화를 이루는 데는 시간과 노력이 필요하다. 전기버스를 보편화하기 위해서는 우리가 모두 이 변화를 받아들이고, 이를 위한 노력을 아끼지 않아야 한다. 이는 개개인의 생활 습관부터 시작될 수 있으며, 이는 결국 우리 사회 전체의 변화로 이어질 수 있다.

우리는 전기버스의 도입을 통해 우리 도시의 대기질을 개선하고, 에너지 효율을 높이며, 경제적 이점을 추구할 수 있다. 이를 위해서는 우리가 모두 이 변화를 받아들이고, 이에 대한 인식을 높이는 것이 중요하다.

결국, 전기버스의 도입은 단지 한 번의 선택이 아니라, 우리가 모두 함께 나아가야 하는 지속 가능한 미래를 향한 첫걸음이다. 이 첫걸음을 내딛는 것은 쉽지 않을 수 있다. 하지만 이를 통해 우리는 더 나은 미래를 만들어 나갈 수 있을 것이다.

이러한 노력이 결국에는 우리 모두에게 돌아오게 될 것이다. 우리는 더 깨끗한 공기를 마실 수 있게 될 것이고, 우리 도시의 소음 문제도 해결될 것이다. 또한, 우리는 전기버스를 통해 우리의 이동 수단이 우리의 삶과 환경에 미치는 영향을 직접적으로 느낄 수 있게 될 것이다.

이러한 변화는 우리 모두의 생활에 긍정적인 영향을 미칠 것이다. 우리는 더 나은 환경에서 살 수 있게 될 것이며, 이는 우리의 삶의 질을 향상하는 데 크게 기여할 것이다.

따라서, 전기버스의 도입은 우리 모두에게 필요한 변화이다. 이 변화를 이루기 위해 우리가 모두 함께 노력해야 한다. 이 변화는 우리의 삶을 더 나은 방향으로 이끌어줄 것이며, 이는 우리가 모두 바라는 지속 가능한 미래를 만들어 나가는 데 큰 도움이 될 것이다.

서울의 미래 전망,
기술의 발전과 함께 시내버스의 변화

　서울, 이 도시는 변화의 소용돌이 속에서도 끊임없이 진화하는 모습을 보여주고 있다. 기술의 발전은 우리 삶의 모든 영역에 영향을 미치며, 그 중심에서 서울 시내버스는 이 변화의 중심축이 되어왔다. 우리는 앞에 글을 통해 도로, 버스, 그리고 사람의 의식 수준 등 여러 면에서의 변화를 함께 살펴보았다. 이제 그 결론을 통해, 기술의 발전과 함께 서울 시내버스가 어떻게 변화할지, 그리고 이 변화가 우리 사회에 어떤 의미를 갖는지 보자.

　첫째로, 도로의 변화는 무엇보다도 지속 가능한 발전을 지향하고 있다. 과거의 도로는 단순히 자동차가 다니는 길이었지만, 이제는 사람과 자연, 그리고 기술이 조화를 이루는 공간으로 재탄생하고 있다. 지능형 교통 시스템의 도입으로 차량 흐름은 더욱 효율적으로 되었고, 이는 에너지 소비를 줄이며 환경오염을 감소시키는 데 기여하고 있다.

둘째로, 서울 시내버스의 변화는 단순히 교통수단의 변화를 넘어선다. 전기버스와 수소 버스의 도입은 녹색 교통 수단으로의 전환을 의미하며, 이는 도시의 대기질 개선에 크게 기여하고 있다. 또한, 자율주행 버스의 시범 운행은 머지않은 미래에 우리가 경험할 교통의 새로운 패러다임을 예고한다. 이러한 기술의 발전은 사람들에게 더 안전하고, 편리하며, 친환경적인 교통수단을 제공할 것이다.

셋째, 사람들의 의식 수준의 변화는 이 모든 기술적 진보를 받아들이는 데 있어 가장 중요한 요소다. 지속 가능한 발전과 환경보호에 대한 인식이 높아짐에 따라, 사람들은 더 친환경적이고 효율적인 교통수단을 선호하게 되었다. 이는 서울 시내버스의 변화를 촉진하는 동시에, 보다 광범위한 사회적 변화로 이어지고 있다.

결론적으로, 기술의 발전과 함께하는 서울 시내버스의 변화는 단순한 교통수단의 변화를 넘어서, 우리 사회의 지속 가능한 미래를 위한 중요한 발걸음이다. 이 변화는 도로의 지능화, 교통수단의 친환경화, 그리고 사람들의 의식 수준 향상이라는 세 가지 주요 요소를 통해 이루어지고 있다. 우리는 이 변화를 통해 더 안전하고, 편리하며, 지속 가능한 도시 생활을 향해 나아가고 있다. 이러한 변화의 핵심에는 기술의 발전이 자리하고 있으며, 이는 서울을 더욱 스마트하고 친환경적인 도시로 변모시키는 데 결정적인 역할을 하고 있다. 이 변화의 여정 속에서 서울 시민들은 더 이상 수동적인 변화의 수용자가 아니라, 변화를 주도하는 적극적인 참여자로서의 역할을 수행하고 있다. 시민들의 적극적인 참여와 의식 변화는 기술적 진보뿐만 아니라 정책 결정 과정에도 영향을 미치며, 이는 서울이 지속 가능한 미래로 나아가는 데 중요한 힘이 되고 있다.

또한, 서울 시내버스의 변화는 다양한 사회적, 경제적 혜택을 가져오고 있다. 교통 체계의 효율성 향상은 시민들의 일상생활에 큰 변화를 가져오며, 이는 시민들의 생활 만족도 향상으로 이어진다. 더 나아가, 친환경 교통수단으로의 전환은 도시의 대기질을 개선하고, 이는 공공 건강에 긍정적인 영향을 미친다. 이처럼, 서울 시내버스의 변화는 단순히 교통 분야에만 국한되지 않고, 도시 전반의 생활 질 향상으로 이어지고 있다.

서울의 미래는 기술과 인간이 조화롭게 공존하는 모습을 그리고 있다. 이 과정에서 서울 시내버스는 단순한 교통수단을 넘어서, 사람들의 삶을 연결하고, 도시의 지속 가능한 발전을 이끄는 중요한 매개체로 자리매김하고 있다. 기술의 발전이 가져오는 변화를 우리가 어떻게 받아들이고 활용하느냐에 따라, 서울의 장래는 더욱 밝고 희망찬 모습으로 다가올 것이다.

우리가 모두 서울 시내버스의 변화를 통해 더 나은 미래를 향해 한 걸음씩 나아갈 수 있기를 희망한다. 기술의 발전과 함께하는 이 여정은 절대 쉽지 않을 것이다. 그러나 우리가 변화를 두려워하지 않고, 함께 협력하여 나간다면, 우리는 분명히 더 나은 서울, 더 나은 미래를 만들어 갈 수 있을 것이다. 서울이라는 도시가 우리에게 보여주는 무한한 가능성을 믿으며, 이 변화의 여정에 우리가 모두 함께하길 바란다.

시내버스의 과제와 기대

　서울, 이 도시는 변화의 물결 속에서도 그 역동성을 유지하는 거대한 생명체와 같다. 이 생명체의 심장을 뛰게 하는 것 중 하나가 바로 시내버스이다. 현재 서울 시내버스는 기술의 첨단화를 향해 한창 달려가고 있다. 자율주행 버스와 인공지능(AI) 시대에 맞는 선진 대중교통의 미래상에 관한 내용과 서울 시내버스가 직면한 과제와 기대를 살펴보고자 한다.

　미래상: 자율주행 버스와 AI의 통합
　미래의 서울 시내버스는 단순한 이동 수단을 넘어, 스마트 도시 구현의 핵심 요소가 될 것이다. 자율주행 기술과 인공지능의 발달은 버스 운행의 효율성을 극대화하고, 탑승객의 경험을 혁신적으로 변화시킬 잠재력을 가지고 있다. 예를 들어, 자율주행 버스는 정밀한 위치 인식과 빠른 의사 결정 능력을 바탕으로, 더욱 안전하고 정확한 운행이 가능해진다. 또한, AI를 통한 빅데이터 분석은 수요

예측과 최적 경로 설정을 실시간으로 가능하게 하여, 대중교통의 효율성과 만족도를 한층 더 높일 것이다.

과제: 기술적 도전과 사회적 수용성

그러나 이러한 미래상을 실현하기 위해서는 극복해야 할 과제들이 존재한다. 첫 번째로, 기술적 도전이 있다. 자율주행 기술은 아직 완벽하지 않으며, 복잡한 도시 환경에서의 안정적 운행을 위해서는 지속적인 연구와 개발이 필요하다. 또한, AI 기반 시스템의 구축과 운영을 위해서는 충분한 데이터 확보와 고도의 보안 시스템이 요구된다.

두 번째 과제는 사회적 수용성이다. 자율주행 버스와 AI 기술의 도입은 일자리 감소와 같은 사회적 우려를 낳을 수 있으며, 이러한 변화에 대한 대중의 신뢰와 수용을 얻는 것이 중요하다. 또한, 모든 시민이 이러한 신기술에 접근하고 이용할 수 있도록 하는 디지털 포용성 또한 중요한 과제다.

기대: 지속 가능하고 포용적인 미래

이러한 과제들을 극복한다면, 서울 시내버스는 더욱 지속 가능하고 포용적인 도시 교통의 미래를 열 수 있을 것이다. 자율주행 버스와 AI의 통합은 에너지 효율성을 높이고, 교통체증과 오염을 감소시켜 환경에 긍정적인 영향을 미칠 것이다. 또한, 이러한 기술의 발전은 교통약자를 위한 접근성 향상에도 크게 기여할 수 있다. 예를 들어, AI 기술을 활용한 음성 인식과 대화형 인터페이스는 시각

장애인이나 고령자가 보다 쉽게 버스 서비스를 이용할 수 있도록 도와줄 수 있다. 이는 서울 시내버스가 단순히 더 빠르고 효율적인 이동 수단이 되는 것을 넘어, 모든 시민이 도시 생활을 누릴 수 있도록 하는 포용적인 서비스로 거듭나게 할 것이다.

또한, 자율주행 버스의 도입과 AI 기술의 발전은 도시의 교통 시스템을 더욱 유연하게 만들 수 있다. 예측 불가능한 이벤트나 긴급 상황에 대응하여 실시간으로 경로를 조정하고, 이동 수요가 집중되는 시간대나 지역에 맞춰 자동으로 운행 계획을 최적화할 수 있다. 이는 도시 전체의 차량 흐름을 개선하고, 시민들의 일상생활에 큰 편의를 제공할 것이다.

추가로 고려해야 할 중요한 요소 중 하나는 환경적 지속 가능성이다. 서울 시내버스의 미래 기술 도입과 발전 과정에서, 환경 보호와 온실가스 배출 감소를 위한 전략도 함께 고려되어야 한다. 전기버스나 수소 버스 같은 친환경 버스의 도입은 도시의 대기질을 개선하고 기후 변화에 대응하는 데 중요한 역할을 할 수 있다. 이러한 전환은 단기적인 비용과 노력이 필요하지만, 장기적으로는 공공 건강, 환경 보호, 그리고 에너지 효율성 측면에서 큰 이익을 가져올 것이다.

또한, 교통 체계의 디지털화와 스마트화는 도시의 에너지 사용 효율을 증대시키고, 탄소 발자국을 줄이는 데 기여할 수 있다. 예를 들어, 실시간 데이터 분석을 통해 버스 운행의 효율성을 극대화하고 불필요한 운행을 줄일 수 있으며, 이는 에너지 소비 감소로 이어진다.

이와 함께, 서울 시내버스의 미래 비전을 구현하는 과정에서 지역 사회와의 긴밀한 협업은 필수적이다. 시민들의 의견을 적극적으로 수렴하고, 다양한 이해관계자와의 소통을 통해 보다 포괄적으로 접근할 수 있는 교통 시스템을 구축해야 한다. 교통약자를 위한 접근성 개선뿐만 아니라, 모든 시민이 환경 측면으로 지속 가능하고, 효율적인 교통 서비스를 이용할 수 있도록 하는 것이 목표여야 한다.

결론: 통합적 접근의 중요성

시내버스의 장래는 분명 밝고 흥미로운 도전들로 가득 차 있다. 자율주행 버스와 AI 기술의 통합은 서울을 선진 대중교통 시스템을 갖춘 도시로 변모시킬 수 있는 엄청난 잠재력을 지니고 있다. 그러나 이러한 변화를 성공적으로 관리하려면, 기술적 도전과 사회적 수용성에 대한 고민을 동시에 해결할 수 있는 통합적인 접근방식이 필요하다. 이는 정부, 기업, 시민 사회가 함께 협력하여 기술의 발전을 도시의 지속 가능한 발전과 시민의 복지 향상에 기여할 수 있도록 하는 것을 의미한다.

시내버스의 미래는 단순히 새로운 기술을 도입하는 것 이상의 의미를 지닌다. 이는 서울이라는 도시가 어떻게 지속 가능하고, 포용적이며, 모두에게 열린 미래를 향해 나아갈 수 있는지에 대한 비전을 제시한다. 그리고 이러한 미래를 향한 여정은 모든 시민이 함께 참여하고 공감할 수 있는 방향으로 진행되어야 한다. 서울 시내버스가 나아갈 길은 분명 많은 도전을 내포하고 있지만, 그만큼 큰 기대와 희망 또한 간직하고 있다. 이 길을 함께 걸어갈 준비가 되어 있나요?

종합적으로, 서울 시내버스의 미래는 기술적 혁신, 환경 지속 가능성, 사회적 포용성의 세 가지 주요 축을 중심으로 발전해야 한다. 이러한 다면적 접근방식은 서울을 더욱 살기 좋은, 지속 가능한 미래 도시로 만드는 데 기여할 것이다. 모든 이해관계자가 함께 협력하고, 지속적인 노력을 기울인다면, 서울 시내버스는 이러한 비전을 현실로 만들 수 있을 것이다.

에필로그

서울의 버스는 단순한 교통수단을 넘어, 도시의 숨결과 함께하는 살아있는 역사이다. 매일 수많은 사람이 버스에 오르고 내리면서 자신만의 이야기를 쌓아가고, 이러한 이야기들이 모여 서울이라는 도시의 다채로운 모습을 만들어낸다. 시내버스의 발달 과정을 돌아보며, 우리는 기술적 진보뿐만 아니라 사회적, 문화적 변화의 흐름도 함께 읽을 수 있다. 첨단화되어 가는 시설들이 도입되면서, 시내버스는 더욱 안전하고 편리하며, 친환경적인 교통수단으로 거듭나고 있다.

이제, 서울의 시내버스는 또 다른 장을 맞이하고 있다. 기술의 발달과 함께, 우리의 가치관과 우선순위도 변화하고 있다. 더 이상 빠르기만을 추구하는 것이 아니라, 어떻게 하면 더 지속 가능하고, 포용적이며, 사람 중심의 교통 시스템을 만들 수 있을지 고민하고 있다. 이러한 고민과 노력이 모여, 서울의 시내버스는 더욱 풍부한 이야기를 담는 캔버스가 되고 있다.

버스에 얽힌 사연들과 사례들을 통해 우리는 서울이라는 도시가 가진 유연성과 포용력을 볼 수 있다. 각양각색의 사람들이 모여 사는 이 도시는, 변화를 두려워하지 않고, 오히려 새로운 가능성을 향해 나아가려는 의지를 보여준다. 시내버스가 이러한 변화의 중심에 서 있음을 우리는 잊지 않아야 한다.

마지막으로, 버스가 나가야 할 길에 대해 생각해 보게 된다. 기술적 혁신을 넘어서, 우리가 진정으로 추구해야 하는 것은 무엇일까? 그것은 바로 사람이 중심이 되는 교통 시스템, 모두가 편리하고 안전하게 이용할 수 있는 교통의 미래일 것이다. 이러한 미래를 향해, 서울의 시내버스는 계속해서 진화해 나갈 것이며, 우리가 모두 함께 그 여정의 일부가 되어야 한다.

서울의 시내버스를 통해 우리는 도시의 과거를 기억하고, 현재를 살며, 미래를 꿈꾼다. 이 책을 통해 담아낸 이야기들이 여러분에게도 의미 있는 영감을 주기를 바란다.

서울의 시내버스와 함께한 여정을 되돌아보며, 우리는 앞으로 나아가야 할 방향에 대해 다시 한번 생각하게 된다. 지속 가능하고, 누구나 편리하게 이용할 수 있는 교통 시스템을 만들기 위해, 우리가 모두 함께 노력해야 하며, 이 과정에서 서울 시내버스는 끊임없이 변화하고 발전해야 할 것이다. 서울의 시내버스가 나가야 할 길은 여전히 멀고도 험난할 수 있지만, 우리가 함께라면 어떠한 도전도 극복할 수 있을 것이다. 서울 시내버스의 미래는 단순히 더 나은 기술이나 더 효율적인 운영 방식에만 있는 것이 아니다. 그것은 또한 우리 사회가 어떻게 더 포용적이고, 접근할 수 있으며, 지속 가능한 방향으로 나아갈 수 있는지에 대한 질문이다. 이것은 서울뿐만 아니라 전 세계 도시들이 직면한 과제이기도 하다.

서울 시내버스가 나가야 할 길은 또한 우리가 어떻게 도시의 공간을 사용하고, 우리가 어떻게 서로 및 우리의 환경과 상호작용하는지에 대한 깊은 이해가 필요하다. 효율성과 지속 가능성, 접근성을 위한 기술적 진보는 중요하지만, 이것들이 우리의 사회적 가치와 어떻게 일치하는지, 우리의 삶의 질을 어떻게 향상하는지를 이해하는 것이 중요하다.

이러한 변화를 위해서는 정책 입안자, 도시 계획자, 교통 전문가, 그리고 시민들의 적극적인 참여와 협력이 필요하다. 모두가 한목소리로 의견을 내고, 다양한 이해관계와 필요를 고려하여 균형 잡힌 접근방식을 모색해야 한다. 이 과정에서 기술은 도구이며, 진정한 목표는 더 나은 삶의 질과 더 행복한 사회를 만드는 것이다.

서울 시내버스의 여정은 우리에게 중요한 교훈을 제공한다. 그것은 우리가 어떻게 더 나은 미래를 위해 현재를 계획하고 실행해야 하는지, 그리고 우리의 결정이 어떻게 우리 공동체와 환경에 장기적인 영향을 미칠 수 있는지를 상기시켜 준다. 서울 시내버스의 발전은 단순한 교통수단을 넘어서, 우리 사회가 어떻게 더 나은 방향으로 나아갈 수 있는지에 대한 통찰을 제공한다.

결론적으로, 서울 버스의 이야기는 단순한 이동의 수단을 넘어서, 우리가 공유하는 공간에서 삶의 질, 상호 연결성, 그리고 지속 가능한 미래에 대한 깊은 성찰을 제공한다. 우리가 모두 이 여정에 함께하며, 서울 시내버스와 같은 일상의 일부가 우리 삶을 어떻게 풍요롭게 하는지, 그리고 우리가 어떻게 더 나은 미래를 함께 만들어 갈 수 있는지를 탐색하는 것은 매우 의미 있는 일이다.

마지막으로 이 책이 버스 기사들의 애로사항에 대한 이해를 돕고, 더 나은 근무 환경 조성에 기여할 수 있기를 바란다. 또한, 버스 회사에 취직을 희망하는 사람들이 이 직업의 실제적인 면모를 이해하고, 그에 대비할 수 있도록 도움을 제공하기를 희망한다.